D1234639

IL Y A TROP D'IMAGES

BERNARD ÉMOND

IL Y A TROP D'IMAGES

Textes épars 1993-2010

© Lux Éditeur, 2011
www.luxediteur.com

Avec l'aimable autorisation de la revue *Relations*

© Les 400 Coups, 2006, 2007 et 2010, pour « Il y a trop d'images », « Le silence »,
« Un film noir » et « Comme un appel »

Dépôt légal : 1er trimestre 2011
Bibliothèque et Archives Canada
Bibliothèque et Archives nationales du Québec

ISBN 978-2-89596-118-5

Ouvrage publié avec le concours Conseil des arts du Canada, du Programme de
crédit d'impôt du gouvernement du Québec et de la SODEC. Nous reconnaissons
l'aide financière du gouvernement du Canada par l'entremise du Fonds du livre du
Canada (FLC) pour nos activités d'édition.

À la mémoire de Pierre Vadeboncoeur

Avant-propos

Ce n'est pas un hasard si c'est la deuxième partie de ce petit livre, celle qui ne traite pas du cinéma, qui s'intitule « Ce qui importe ». Pendant toute ma vie de cinéaste, j'ai eu la conviction qu'on devait faire des films « pour » quelque chose, quelque chose qui serait comme au-dessus des films, qui les justifierait, et sans quoi le cinéma ne serait qu'une technique perfectionnée du mensonge.

Mais alors, pourquoi ce détour par le cinéma ? N'aurait-il pas été plus simple de faire directement de la politique ou de la médecine ? On voit bien à quoi peuvent servir le médecin ou le militant s'ils ont miraculeusement échappé au cynisme contemporain et s'ils sont animés par un véritable désir de venir en aide à leur prochain. Mais un cinéaste ? Que peut quelqu'un qui fabrique des images dans un monde soumis à un véritable déluge médiatique et publicitaire et où le réel semble se dissoudre dans le virtuel ? Seules les églises baroques de l'Ancien Monde et leur ornementation délirante peuvent donner une idée de l'omniprésence de l'image dans la société où nous vivons. Mais on pouvait sortir d'une église de Rome ou de Prague alors que le monde entier est devenu aujourd'hui un temple voué à la représentation des petits dieux de la consommation. Toutes les surfaces urbaines disponibles sont occupées par l'imagerie commerciale, et il en va de même de notre temps d'attention, si on veut bien se rappeler que la plus grande part des loisirs de nos contemporains est occupée par la consommation d'images, que ce soit à la télévision, sur Internet ou autrement[1].

Dans ces conditions, à défaut de céder à une rage iconoclaste et de saccager écrans et panneaux-réclames, ne vaudrait-il pas mieux ne plus commettre d'images? Ou alors, devrait-on ne plus faire que des images qui s'opposent activement à l'atmosphère irrespirable dans laquelle nous vivons et produire des films militants, des œuvres de dénonciation, des documentaires coups-de-poing? Plusieurs de ces films sont valables, encore que certains d'entre eux utilisent une rhétorique qui n'est guère différente de celle des médias dominants[2]. Mais je ne peux m'empêcher de trouver qu'il manque quelque chose dans ces histoires d'enfants maltraités, d'immigrants floués, de femmes violentées qui sont destinées à nous ouvrir les yeux. Car le problème est justement que nos yeux sont déjà ouverts, mais que nous ne voyons rien. Il faudrait en effet être sourd et aveugle pour arriver à échapper aux bébés couverts de mouches des famines africaines, aux victimes ahuries du dernier tremblement de terre en Asie ou aux survivants de la dernière catastrophe écologique tels qu'ils sont représentés jusqu'à plus soif par les médias.

Le problème n'est pas que nous ne savons pas, mais bien plutôt que nous ne voulons, nous ne pouvons plus savoir. Nous n'arrivons plus à être véritablement attentifs à ces fausses notes dans la

---

[1] On m'objectera que seule une partie de ce temps est occupée par la publicité. Je rétorque qu'il n'y a plus beaucoup de différence entre la publicité et le contenu des émissions ou des sites, ce contenu étant lui-même une injonction permanente à mener une vie tout entière consacrée aux félicités de la consommation et à la douce torpeur du divertissement.

[2] Je pense entre autres aux films de Michael Moore.

symphonie marchande du monde. Nous sommes distraits, perpé-
tuellement distraits jusqu'à l'inconscience, et la vie glisse sur nous
comme la pluie sur le dos d'un canard. Sinon, comment expliquer
autrement cette apathie, cette somnolence, ce coma des facultés
morales ? Comment expliquer que nous soyons à ce point sans
réaction devant l'horreur du monde comme devant sa beauté ?
Tout se passe comme si nous ne croyions plus au réel, comme si
nous avions abandonné d'avance l'idée que nous pouvions y vivre.
Nous sommes devenus les spectateurs désabusés d'une réalité que
notre inattention a vidée de sa substance. Tout ce qui transite par
la moulinette médiatique est déréalisé, et ce qui n'y accède pas n'a
pas d'existence pour nous.

Persister à faire des films dans ces conditions tient du pari et
de la prière. Le pari : que par le travail du cinéma il soit possible
de parvenir à une véritable attention au monde ; la prière : qu'il se
trouve encore des spectateurs pour librement accorder aux films
réalisés dans cet esprit une égale attention et par là une même
attention au monde. Le cinéma devient alors autre chose qu'une
technologie du divertissement ou de la persuasion (pour ne pas
dire de la propagande) : il devient une manière de regarder, de ce
qui s'appelle vraiment regarder, une manière de s'appliquer à voir,
à voir derrière, à voir au-dessus des choses, à voir ce qui ne se voit
pas du premier coup d'œil, à voir ce qui est devenu invisible dans
un monde encombré d'images. Voir ce qui est devenu invisible :
la délicatesse des liens humains ; la profondeur d'un désarroi ; la
beauté d'un visage vieillissant ; l'infinie subtilité d'une lumière
matinale ; ce qu'il y a derrière les gestes du travail ; la vérité cachée
d'un baiser, d'une caresse ; ce qui se passe quand on ne dit rien. Le
détour par le cinéma me semble alors pleinement justifié : il nous
arrache à notre aveuglement.

On aurait tort de voir là une posture esthétique, alors qu'il s'agit d'un choix éthique, qui procède d'un désir de sens. Dans les textes de la première partie du livre, j'évoque au passage des films de Rossellini, de Kurosawa, de Raymond Depardon, de Bergman, des frères Dardenne ou de Robert Morin. Ce qui rassemble ces films aux esthétiques si différentes, c'est une même volonté de s'approcher de *ce qui importe*. Tous, à leur manière, avec les moyens du cinéma, ils posent les deux mêmes questions, au fond les seules questions qui comptent vraiment : comment, pourquoi vivre ? Leur mérite, évidemment, est de ne pas donner de réponse, mais plutôt de nous laisser avec ces questions qui nous engagent.

Mais l'art, en lui-même, ne peut rien. On sait que des tortionnaires d'Auschwitz pouvaient rentrer chez eux le soir et jouer un quatuor de Mozart avec des camarades. Ou, dans un autre registre, que des chefs d'entreprise peuvent verser une larme en écoutant la *Passion selon saint-Mathieu* à l'église Notre-Dame avant de fermer une usine ou d'investir dans les armements. Cela, évidemment, n'invalide ni Mozart ni Bach. Car les questions qui comptent sont toujours là, dans, derrière, au-dessus de la musique, comme elles restent présentes dans, derrière, au-dessus des tragédies de Racine, des films de Dreyer ou des tableaux de Chardin. Ces questions nous attendent.

Car les œuvres ont besoin de nous. Il ne manque pas de livres et de films oubliés sur les rayons des bibliothèques ou dans les voûtes des cinémathèques. Un livre qu'on ne lit pas, un film qu'on ne voit plus n'existent pas. Mais il suffit qu'un lecteur, qu'un spectateur retrouve le fil perdu de la conversation avec une œuvre pour qu'elle reprenne vie. Pour chaque lecteur, pour chaque spectateur, pour autant qu'ils aient cherché dans l'art autre chose qu'un passe-temps, il y a une sorte de « chaîne de sens » formée de tout ce qu'ils ont lu et vu, et qui est là, comme une invitation permanente à découvrir le monde, à y être attentif, à y agir. Les œuvres qui comptent nous conduisent à *ce qui importe* et appellent notre responsabilité. Il y a un honneur du lecteur ou du spectateur qui consiste, lorsqu'on a posé le livre ou quitté la salle obscure, à poursuivre la conversation et à répondre à l'œuvre, par la pensée et par l'action.

Nous sommes ici à des années-lumière de la goguenardise et de la légèreté obligatoires qui ont colonisé les médias contemporains. Nous sommes dans l'esprit de sérieux et dans la croyance, car c'en est une, en la réalité du monde et en la possibilité de l'action. Paradoxalement, ces livres, ces films, ces musiques qui semblaient nous éloigner du réel nous y ramènent, et plus solidement qu'avant. Comme le personnage de Jeanne à la fin de *La donation*, nous sommes debout, libres et responsables, devant le chemin du monde.

Première partie

Cinéma cinémas

20 H 17, RUE DARLING
À CANNES

Texte lu avant la projection du film 20 h 17, rue Darling *à la Semaine internationale de la critique du Festival de Cannes, le 20 mai 2003.*

RÉSOLUMENT local, *20 h 17, rue Darling*, est un film tourné sur dix rues d'un quartier de Montréal, avec des personnages profondément québécois et qui s'expriment dans la langue des quartiers ouvriers de Montréal. Je suis heureux qu'un film aussi local se retrouve à Cannes, dans le plus international des festivals.

Je précise qu'un cinéma qui se voudrait international ne m'intéresse pas. Ce sont les cinémas nationaux qui m'intéressent. Ils m'intéressent pour autant qu'ils sont français, chinois ou finlandais. Je suis de ceux qui pensent que faire un cinéma national est un acte de résistance nécessaire face à la barbarie qui se cache derrière la culture de masse américaine.

Je ne vous parlerai pas du film. Vous allez le voir. Mais j'aimerais vous parler de la langue du film.

Il y a deux ans, quand je suis venu montrer mon film *La femme qui boit* à la Semaine, une spectatrice m'a dit : « Votre film est tragique, je le sais, mais j'entends l'accent et ça me donne envie de rire. » Cela s'appelle du mépris.

La langue de ce film est une langue de pauvres. C'est la langue de gens dont les ancêtres se sont échinés pendant 300 ans sur des terres de misère à faire vivre des familles de 15 enfants. C'est la langue de gens dont les grands-parents sont montés à Montréal pour travailler à des salaires de famine dans des usines pour des patrons anglais qui les méprisaient. Cette langue a fait leur malheur et leur dignité. C'est la langue de ma mère et de mes grands-parents. Écoutez sa musique. C'est beau et triste comme un *reel* irlandais.

Aux spectateurs français, je demande une faveur : si vous ne goûtez pas la saveur de cette langue, reportez-vous aux sous-titres anglais et faites comme si le film était slovaque ou portugais.

Le silence

Texte écrit en 2006 et publié avec le scénario de La neuvaine [1].

A̲U̲ ̲M̲O̲M̲E̲N̲T̲ où j'écris ces lignes, je me trouve à mi-parcours de ma trilogie sur les trois vertus théologales. Le film sur la foi (*La neuvaine*) est terminé, celui sur l'espérance (*Contre toute espérance*) est en montage, et celui sur la charité n'est pas encore écrit. À vrai dire, je ne sais pas encore comment terminer cette trilogie. Je me reprends : je ne sais pas encore comment cette trilogie se terminera. D'une certaine façon, *cela s'écrit, cela se tourne*, et j'ai bien plus l'impression de descendre en canot une rivière difficile que celle de conduire tranquillement un navire à bon port.

Il n'y a d'ailleurs jamais eu de projet de trilogie au sens strict ; il n'y a pas eu de moment où je me suis dit : « Voilà, je vais faire ces trois films. » Le scénario de *La neuvaine* a été conçu de façon indépendante, et c'est après l'avoir écrit (mais avant de tourner le film) que j'ai envisagé une suite thématique. Je reviendrai plus loin sur cette idée de trilogie. Mais il me faut d'abord parler de la genèse de *La neuvaine*.

À la fin des années 1990, j'ai tourné *Le temps et le lieu*, un documentaire sur Saint-Denis de Kamouraska, où je suivais les traces de

---

[1] *La neuvaine, scénario et regards croisés*, Montréal, Les 400 coups, 2007.

l'anthropologue américain Horace Miner. Miner avait habité le village en 1936, avant d'écrire son livre *St. Denis : A French-Canadian
Parish*, qui est devenu plus tard un classique de la sociologie québécoise. Comme à mon habitude, j'avais fait du travail de préparation
du film une sorte de petit terrain ethnographique et j'avais à
mon tour vécu dans le village pendant plusieurs mois, me liant
avec plusieurs de ses habitants et fréquentant assidûment (en bon
anthropologue) l'église. Au même moment, pour ma recherche, je
redécouvrais la sociologie de la ruralité québécoise et la littérature
du terroir, que je n'avais pas lue depuis l'adolescence. Dans *Trente
arpents*, *Le survenant*, *Marie-Didace*, *Vieilles choses, vieilles gens* et
Les rapaillages, c'est tout le vieux fonds culturel canadien-français,
catholique et paysan, que je retrouvais avec une joie qui m'étonnait.

C'est dans cet état d'esprit que j'ai visité, un peu par hasard,
en 1999, la basilique de Sainte-Anne-de-Beaupré. Rien ne m'avait
préparé à l'intensité de l'émotion que j'ai ressenti alors. J'avais
très exactement l'impression de *rentrer chez moi*, tout intellectuel
non croyant que j'étais. La basilique, dans sa grandeur comme
dans son kitsch, me ramenait à la foi de mon enfance et de mes
ancêtres : voilà d'où je venais, voilà ce qui m'avait fait. C'était ma
tribu, c'étaient mes rituels. Qu'on me comprenne bien : le choc que
j'ai ressenti alors était plutôt d'ordre culturel que d'ordre religieux.
Il s'y glissait pourtant une nostalgie (et j'utilise ici le mot en toute
conscience) de la transcendance perdue.

Et puis, il y avait aussi ce qui entourait le sanctuaire : la beauté
de la vieille rue Royale, du fleuve et de l'île d'Orléans, tout cela
défiguré par le boulevard Sainte-Anne et son alignement de motels
et de centres commerciaux. J'y voyais une sorte de métaphore
du destin de la culture québécoise en Amérique du Nord. C'est à
partir de ce moment-là que l'idée de faire un film à Sainte-Anne

a commencé à me travailler. Je disais à mes proches : « Sainte-Anne est un lieu qui attend son film. » Mais la vie d'un cinéaste est discontinue. J'ai tourné *La femme qui boit* et écrit *20 h 17, rue Darling* avant de pouvoir retourner à Sainte-Anne, au printemps 2001. J'étais allé manifester au Sommet des Amériques à Québec, et j'avais pris pour quelques jours une chambre de motel à Sainte-Anne. C'est là que j'ai découvert le quai du village, le Cyclorama de Jérusalem, le musée de Sainte-Anne et le chemin de croix dans la montagne (qui figurent tous dans *La neuvaine*). J'ai commencé à imaginer une sorte de film à sketches dans lequel, pendant les neuf jours d'une neuvaine, divers personnages s'entrecroisaient. Puis j'ai dû laisser le projet de côté pour tourner et monter *20 h 17, rue Darling*.

Après le montage de *20 h 17* à l'été 2002, je savais que mon prochain film allait se tourner à Sainte-Anne, même si je ne savais rien de l'histoire et à peu près rien des personnages. Dès que j'ai pu, j'ai passé une semaine à errer dans le village et au sanctuaire pour me pénétrer des lieux (je suis incapable d'imaginer une histoire sans connaître le lieu où elle se déroule). Des quelques personnages que j'avais entrevus l'année précédente pour le projet, deux seulement avaient survécu au temps : une femme incroyante et suicidaire arrivée un peu par hasard au bout du quai de Sainte-Anne et un jeune homme venu faire une neuvaine au sanctuaire. J'imaginais de la femme qu'elle était médecin et qu'elle revenait d'Afrique où elle avait survécu à un massacre dans un camp de réfugiés. Quant au jeune homme, je l'imaginais simple et bon, venant de la campagne et un peu hors du temps (à l'époque, j'imaginais qu'il venait faire une neuvaine pour trouver un travail). Je sentais confusément qu'ils devaient se rencontrer et que leur rencontre devait être celle de la foi et de l'incroyance, de l'espérance et du désespoir. Mais ils n'avaient rien en commun et je ne savais pas comment les faire se rencontrer.

Une promenade sur le quai dans le grand soleil de juillet a réglé ce problème : j'ai vu Jeanne et François comme s'ils y étaient. Et j'ai su que le film, basé sur la rencontre improbable de deux personnages totalement différents, allait être une sorte de fable. Tout de suite, aussi, j'ai su qu'Élise Guilbault (avec qui j'avais tourné *La femme qui boit*) et Patrick Drolet (le jeune maniaco-dépressif de *20 h 17, rue Darling*) allaient porter les deux personnages.

La suite est plus difficile à expliquer. Le travail de scénarisation est pour moi quelque chose d'assez mystérieux, un mélange de bricolage et d'imagination, de contrôle et d'abandon, où les contraintes économiques de la production d'un film jouent un rôle important, où les impératifs de la construction d'une histoire sont parfois balayés par des personnages qui se mettent à vivre une vie indépendante (et parfois à me faire pleurer !), et où *ça s'écrit* autant que *je l'écris*.

Au bout du compte, il y a eu cette histoire dont je ne peux que constater (je ne vois pas comment le dire autrement) la structure, les symétries et les oppositions (ville/campagne, foi/incroyance, espérance/désespoir, simplicité/complexité). Le moteur du récit est sans doute l'opposition entre la mort « sensée » de la grand-mère de François et celles, « insensées », de la jeune mère et de son enfant. Jeanne, confrontée à l'absurdité de l'existence par le meurtre auquel elle a assisté et dont elle se croit responsable, est ramenée à la vie par l'expérience de la mort paisible de la grand-mère. Le mal, incarné par le mari violent, est d'une certaine manière compensé par le bien, que représente le personnage de François. À la fin du film, un équilibre incertain s'est rétabli : Jeanne décide de continuer à vivre.

Mais la fin du film est assez différente de celle du scénario. Dans le scénario, à la dernière séquence, Jeanne entre au bureau des bénédictions du sanctuaire et raconte son histoire au prêtre (on comprend alors que c'est le dialogue en voix hors champ qui parcourt le film), avant de lui demander de prier pour ses morts. Le prêtre la bénit et, avant qu'elle ne parte, lui demande ce qu'elle va faire. Jeanne répond : « Je vais rentrer chez nous… Je vais essayer de vivre… Je vais travailler… Mon travail est utile… Alors, je vais travailler… Tant que je vais pouvoir… Qu'est-ce qu'on peut faire d'autre ? » C'est une fin tchékhovienne, inspirée de la dernière réplique de Sonia dans *Oncle Vania*, une fin en demi-teintes, plutôt fataliste, assez différente de celle que nous avons fabriquée au montage. Pour toutes sortes de raisons, la scène telle que je l'avais tournée ne me satisfaisait pas. Avec ma monteuse, Louise Côté, nous avons donc imaginé que Jeanne n'entrait pas dans le bureau des bénédictions et que tout se passait dans le regard des deux personnages séparés par la baie vitrée. C'est une fin lumineuse : le silence est comme un écrin qui fait ressortir la bonté du prêtre et l'acceptation de Jeanne. Dans la fin du film, Jeanne *accepte* de vivre. Dans le scénario, elle s'y *résignait*.

De la même façon, dans le scénario, la mort de la grand-mère suivait immédiatement le *flash-back* du meurtre de la jeune mère et de son enfant, ce qui établissait une sorte d'équivalence entre les deux. Au montage, nous avons choisi de devancer le meurtre et de le placer beaucoup plus tôt dans le film : au deuxième tiers, juste avant que François amène Jeanne voir sa grand-mère à Petite-Rivière-Saint-François. La différence est importante : le scénario fait un *constat*, le film décrit une *guérison*. Le séjour de Jeanne à Petite-Rivière semble davantage l'apaiser, parce que l'évocation du meurtre est *derrière* elle. C'est comme si elle ne portait plus en elle l'image obsédante de l'horreur.

J'ai dit plus haut que, d'une certaine manière, *ça s'écrivait*. Il faut bien reconnaître aussi que *ça se tourne* et que *ça se monte*. Je ne fais pas ici l'apologie de l'abandon et de l'improvisation. Je parle ici d'autre chose. Il y a une dynamique à l'œuvre dans la fabrication d'un film qui fait que les intentions du réalisateur sont enrichies par les comédiens, le directeur photo, la monteuse, le compositeur. Je sais ce que le film doit de lumière aux interprétations[1] d'Élise Guilbault, Patrick Drolet et Denise Gagnon, et combien les images de Jean-Claude Labrecque et la musique de Robert Marcel Lepage le tirent vers le haut. Qu'on me comprenne bien : cela ne s'est pas fait à mon insu et chaque décision a fait l'objet d'un choix délibéré[2]. Seulement, je dois constater qu'il y a quelque chose dans le film qui me dépasse et que l'appel à la transcendance est beaucoup plus fort que je ne l'imaginais. Au fond, je voulais cela, j'en avais besoin. Et cette sorte de lumière a sans doute contribué au succès du film. On ne peut pas dire qu'il se termine sur un *happy end*, mais enfin Jeanne émerge de la noirceur, ramenée à la vie par le spectacle de la nature et l'expérience de la tendresse humaine. Elle guérit. Pour le spectateur, comme pour le réalisateur, il y a quelque chose de profondément satisfaisant dans cette conclusion.

Mais curieusement, je sens que si le film a gagné en lumière, il a aussi perdu quelque chose. Car quelque chose manque, dans cette fin positive : je sais qu'une mort « sensée » n'effacera jamais une mort « insensée » ; je sais que toute la tendresse et toute la bonté du monde n'aboliront jamais le meurtre d'un enfant ; je sais que le spectacle grandiose des oies au cap Tourmente n'efface pas le mal. Et je sais qu'il n'y a pas de vie pleine et entière sans une conscience douloureuse de l'injustice et du mal.

D'une certaine manière, dans *La neuvaine*, Dieu parle. Il parle par la beauté de la nature, par la bonté de François, par la sagesse de la grand-mère. Mais la vraie difficulté de croire ne réside-t-elle justement pas dans le *silence* de Dieu ? Le silence de ce Dieu sensément

---

[1] Je rappelle un des sens du mot interprète : personne qui explique, éclaircit le sens d'un texte.

[2] Je me souviens avoir demandé à Jean-Claude Labrecque de me fabriquer « la lumière du bon Dieu ».

bon et tout-puissant qui se retire et se tait devant les massacres, les famines, les camps de concentration ? Pour certains croyants, ce silence fonde la liberté humaine et n'abolit pas la présence divine. Même si Dieu n'est présent dans la création, comme l'écrit Simone Weil, que sous la forme de l'absence.

Mais devant ce silence et cette absence, comment, pourquoi espérer ?

*

* *

C'est entre l'écriture et le tournage de *La neuvaine* que j'ai commencé à travailler sur le scénario de ce qui allait devenir *Contre toute espérance*. Très vite, je me suis rendu compte qu'il y avait une continuité thématique entre les deux films, et que le nouveau scénario reposait, autrement, les questions restées sans réponse dans *La neuvaine*.

Quelques mois plus tôt, j'avais relu Péguy, un des poètes qui avaient marqué mon adolescence. Et *Le porche du mystère de la deuxième vertu*, avec sa petite fille espérance, m'avait bouleversé encore plus qu'à 16 ans. Dans cet extraordinaire poème-fleuve, c'est Dieu qui parle :

La foi que j'aime le mieux, dit Dieu, c'est l'espérance.
La foi ça ne m'étonne pas. [...]
J'éclate tellement dans ma création.
Que pour ne pas me voir il faudrait vraiment que ces pauvres
*   gens fussent aveugles.*
La charité, dit Dieu, ça ne m'étonne pas. [...]
Ces pauvres créatures sont si malheureuses qu'à moins d'avoir
*   un cœur de pierre, comment n'auraient-elles point charité*
*   les unes des autres. [...]*
Mais l'espérance, dit Dieu, voilà ce qui m'étonne.
Moi-même.

Ça c'est étonnant.
Que ces pauvres enfants voient comme tout ça se passe et qu'ils
  croient que demain ça ira mieux.
Qu'ils voient comme ça se passe aujourd'hui et qu'ils croient
  que ça ira mieux demain matin.
Ça c'est étonnant et c'est bien la plus grande merveille
  de notre grâce.
Et j'en suis étonné moi-même[1].

C'est probablement de la lecture de ce grand texte que vient l'idée d'une trilogie sur les vertus théologales. Il y avait bien sûr aussi l'exemple du *Décalogue*, de Kieslowski, un des monuments du cinéma contemporain, où l'auteur se sert des métaphores du christianisme pour poser un regard sans complaisance sur sa société et sonder les profondeurs de l'âme humaine. Toujours est-il que je me suis embarqué dans ce projet, sans trop savoir où cela allait me mener. Je ne le sais toujours pas.

Le deuxième film est maintenant presque terminé, et il pose cette question : comment espérer dans un monde qui nie l'espérance ? En repassant les images du film sur l'écran de la salle de montage, je suis frappé par sa noirceur. Le personnage principal, Réjeanne, espère contre toute espérance. Elle espère malgré la maladie qui frappe son mari ; elle espère quand elle perd son emploi, sa maison ; elle se débat, elle travaille, elle lutte jusqu'au moment où elle est *rompue* par la vie.

Nulle rédemption, nulle ouverture, nulle lumière dans ce film, hormis l'amour profond qu'elle porte à son mari (mais qui ne le sauvera pas). Et si, à la dernière image, cette femme brisée, muette, retrouve la parole pour dire « Mon Dieu, aidez-moi », je sais bien, et elle sait peut-être aussi, que sa prière ne sera pas exaucée. Il

---

[1]Charles Péguy, *Œuvres poétiques complètes*, Paris, Gallimard, coll. « Bibliothèque de la Pléiade », 1994, p. 531 et suivantes.

n'y a Personne. Il n'y a que le silence. L'espérance consiste peut-être alors à écouter ce silence, dans la nudité et le dépouillement. Peut-être Simone Weil a-t-elle raison : c'est ce silence qui permet d'entendre à la fois le cri merveilleux des oies et celui des enfants qu'on tue. C'est dans ce silence que se trouve peut-être la trace de l'Autre. Mais peut-être a-t-elle tort et sommes-nous vraiment, irrémédiablement, complètement seuls.

Il ne nous resterait alors que la charité, dans la noirceur du monde.

C'est tout ce que je sais actuellement du troisième film : la charité serait ce qui reste quand il ne reste plus rien.

*
* *

Je me retrouve loin de mon point de départ. Je me retrouve loin de la nostalgie d'un passé religieux et culturel qui se délite, loin de la rédemption, du bien compensant le mal, d'un *happy end* quelconque. Je me retrouve devant des questions sans réponse.

Je me retrouve où je ne savais pas que j'irais. J'écoute le silence.

Un film noir

Texte écrit en 2008 et publié avec le scénario de Contre toute
espérance[1].

Six mois après sa sortie en salles, je n'arrive pas à me défaire du
sentiment que *Contre toute espérance* est un film que je dois
défendre et que je dois le défendre non seulement contre les autres,
mais aussi contre moi-même.

La critique, généralement bienveillante, a jugé que *Contre toute
espérance*, malgré ses qualités, était inférieur à *La neuvaine* et n'avait
pas sa grâce ; que le film était grevé par une charge sociale et
politique qui manquait de subtilité ; et enfin que le film était *trop
noir*. Bien malgré moi, je ne suis pas loin de reprendre ces critiques
à mon compte, ce qui pose deux sortes de questions : les questions
d'ordre cinématographique, qui tiennent à la *manière* dont j'ai fait
ce film, à ce que j'ai réussi et à ce que j'ai raté ; et les questions
qui tiennent au projet artistique lui-même, c'est-à-dire aux *raisons*
qui m'ont poussé à le faire et ultimement à cette question terrible :
peut-on avoir raison de vouloir faire un film comme celui-là ?

---

[1]*Contre toute espérance, scénario et regards croisés*, Montréal, Les 400 coups,
2010.

D'entrée de jeu, je veux dire que le dernier plan du film (celui où Guylaine Tremblay, en gros plan, dans une lumière crue, sort de son mutisme et prononce d'une voix brisée ces mots : « Mon Dieu, aidez-moi. ») est le plan, dans ma vie de cinéaste, dont je suis le plus fier. C'est un vrai plan de cinéma, c'est-à-dire qu'il est beaucoup plus que la somme de ses éléments constitutifs : le jeu de la comédienne, la lumière du directeur photo, le cadre et la mise en scène, les quatre mots prononcés. Au fond, il est difficile d'imaginer une image plus simple, plus dépouillée et pourtant elle est chargée d'un formidable poids d'humanité. De plus, c'est une image ouverte, qui exige un engagement de la part du spectateur. Cette image fait ce que j'attends du cinéma : elle tente de rendre une expérience humaine dans sa beauté et sa complexité (mais aussi, paradoxalement, dans sa simplicité) et elle ouvre un dialogue avec le spectateur [1]. Évidemment, ce plan n'est rendu possible que par ce qui le précède, ce qui, à mes yeux, justifie le film même s'il ne se tient pas tout du long à cette hauteur.

Je n'ai aucune peine à admettre que le début du film (particulièrement les scènes de bonheur) est mal maîtrisé. Par boutade, je disais à ma monteuse Louise Côté, lorsque nous peinions sur ces séquences : « Au fond, le bonheur est sans intérêt. » Je sais qu'il y a de ma part une réaction de rejet devant les images du « bonheur obligatoire » fabriquées en quantité industrielle par le cinéma et la télévision. George Orwell écrivait déjà, dans les années 1940, que la publicité avait avili la langue anglaise en s'appropriant certaines expressions. De la même façon, à cause de la publicité, il y a des images qui sont maintenant, pour un cinéaste sérieux, impossibles à tourner : deux amants courant l'un vers l'autre dans un

---

[1] Le dialogue que je souhaite est à l'opposé de la manipulation dont le spectateur est l'objet dans les productions audiovisuelles de la culture de masse, manipulation qui vise, dans le meilleur des cas, la « satisfaction du client » et, dans le pire, comme dans la publicité, le contrôle de son esprit et l'éradication de son sens critique.

champ, par exemple[1]. Mais c'est une pauvre excuse. Il est de toute urgence de réapprendre à filmer le bonheur humain, ces moments qui échappent par miracle à l'implacable machine à désirer qu'est devenue la société contemporaine. Il y a dans la tendresse humaine toutes les raisons qu'il faut pour résister à ce qui déshumanise chaque jour davantage notre monde.

*
* *

À la question de savoir si la charge sociale et politique était trop lourde, j'ai deux réponses à donner : la première est que ce que montre le film est très en deçà de la brutalité réelle du capitalisme néolibéral ; et la deuxième est qu'au cinéma la vérité est une affaire complexe et que ce n'est pas parce qu'une situation est conforme au réel qu'elle devient automatiquement *vraie* dans le film.

Le licenciement des téléphonistes, tel que présenté dans le film, s'inspire d'un fait réel, la vente par Bell Canada de son service de téléphonistes en 1999. J'ai pris grand soin de ne rien exagérer. Le texte lu aux téléphonistes lorsqu'on leur annonce leur congédiement est presque mot pour mot celui du communiqué de la direction de Bell et le reste du film est animé par le même souci de réalisme : des gestes du travail des téléphonistes jusqu'au salaire du patron (et, de façon à peine déguisée, à sa nomination à la direction d'une agence fédérale), tout est conforme ou en deçà du réel[2]. Il en va de même pour les scènes d'embauche chez « World

---

[1]Ce qui est terrible, c'est aussi que cette scène est impossible à vivre sans ironie dans la vie réelle. Il y a là une sorte d'expropriation de l'innocence par l'imaginaire publicitaire.

[2]À la première, une téléphoniste m'a dit : « Ce que Réjeanne fait à la fin du film (lorsqu'elle tire sur la maison du patron), nous sommes nombreuses à l'avoir fantasmé. »

Mart », inspirées directement des descriptions d'une journaliste américaine[1] qui a fait enquête chez Walmart en se faisant passer pour une demandeuse d'emploi.

Au sujet de ces scènes, la consigne à la comédienne qui jouait le rôle de la cadre de « World Mart » était d'éviter à tout prix la caricature et de jouer le personnage avec sympathie. Mais il faut bien admettre ici que c'est le réel qui est caricatural. Les entreprises contemporaines s'emploient sans relâche et avec succès à nier la réalité des rapports sociaux qu'elles imposent. Lorsqu'un commis de Réno-Dépôt qu'on affuble du titre d'*associé* (à 9 dollars de l'heure !) n'y voit rien de problématique, on comprend que les cadres ont parfaitement assimilé le premier axiome de la société du spectacle : l'image est tout.

On est ici au cœur du problème : ce n'est pas la réalité de ce qui est montré à l'écran qui est en cause, c'est la manière de le montrer, *mais aussi la possibilité de le voir*. Je veux bien admettre qu'il peut y avoir un « manque de cinéma » dans certaines scènes, bien que je revendique absolument les gros plans des téléphonistes à l'instant où le service ferme pour toujours[2]. Mais un double problème subsiste. Le travail au cinéma est de moins en moins montré *dans sa réalité*. La façon la plus courante de filmer un milieu de travail (au point qu'il s'agit d'un véritable poncif du cinéma contemporain) est de suivre en *travelling* (si possible à la *steadycam*) un personnage qui se déplace rapidement à travers un bureau ou une usine de préférence immense. On peut difficilement se tenir plus à distance, ou plus en surface du sujet. Rares sont les cinéastes qui filment encore les gestes du travail. Et plus rares

---

[1] Barbara Ehrenreich, *L'Amérique pauvre. Comment ne pas survivre en travaillant*, Paris, Grasset, 2004, chapitre 3.

[2] Ces plans correspondent eux aussi à l'idée que je me fais de ce que peut être une vérité cinématographique.

encore ceux qui arrivent à filmer la réalité des rapports sociaux dont ces gestes sont la conséquence[1]. Tout se passe comme si le travail, au cinéma, n'était plus *montrable*, ce qui revient à dire dans notre société qu'il est *invisible*. Curieuse époque, où le bonheur est obligatoire et le travail, invisible. Qu'on me permette de convoquer un instant Althusser : « La bévue c'est alors de ne pas voir ce que l'on voit ; la bévue porte non plus sur l'objet, mais sur la vue même. »

J'admets les insuffisances de mon travail, mais j'affirme du même souffle que ceux qui trouvent chargé le portrait que je dresse du monde du travail devraient s'interroger sur le milieu où ils vivent, sur les gens qu'ils fréquentent, et sur la connaissance réelle qu'ils ont de milieux étrangers à ceux dans lesquels ils frayent de coutume.

*

*   *

« Pourquoi faites-vous des films aussi noirs ? » Voilà une question que j'ai entendue des dizaines de fois et à laquelle j'ai simplement envie de répondre : « Mais pourquoi me posez-vous donc cette question ? » Car après tout, l'histoire du cinéma est pleine de chefs-d'œuvre bien plus noirs que mes films, de la *Jeanne d'Arc* de Dreyer jusqu'à *Rosetta*, en passant par *Mouchette* et par *Les communiants*[2]. On me répondra avec raison que mes films ne sont pas des chefs-d'œuvre et que je ne suis ni Bergman ni Bresson, mais alors faut-il être Chaplin, Lubitsch ou Woody Allen pour faire une

---

[1]Deux des plus belles réussites de ces dernières années : *Ressources humaines*, de Laurent Cantet, et le formidable *Rosetta*, des frères Dardenne.

[2]Et je ne parle même pas du cinéma *d'action* américain, où l'on peut voir plus de morts horribles en une minute que je n'en montrerai pendant toute ma vie de cinéaste, dussé-je vivre et tourner jusqu'à 100 ans comme Manuel de Oliveira.

comédie ? Manifestement, non. On n'a pas besoin d'expliquer pourquoi on fait une comédie, même mauvaise : on fait une comédie parce que c'est ce que le client demande [1] et, dans un pays occupé à mourir de rire, le client est roi. Nous sommes plus que jamais dans l'empire du divertissement et il faut prendre bien garde à ne pas faire de films « désagréables [2] ».

J'aimerais rappeler que le cinéma peut être encore un art, avec ce que cela comporte de risques [3] que ce soit pour le cinéaste ou pour les spectateurs. L'œuvre d'art, nous dit Georges Steiner, appelle à la fois une rupture et une rencontre. L'œuvre d'art nous bouscule, elle nous arrache à nous-mêmes, à nos habitudes, à notre confort intellectuel, à nos partis pris et cette rupture est nécessaire pour que la rencontre puisse avoir lieu. L'œuvre d'art exige de nous un engagement et une certaine courtoisie, qui doit se manifester par l'attention. On est ici loin du divertissement, qui nous ramène sans cesse à nous-mêmes, ne nécessite aucune attention particulière, et nous sépare [4] en fin de compte du monde.

Il s'agit ici de défendre le droit à la tragédie, ainsi que le droit au refus de l'artifice. Au cinéma, bien entendu, tout est fabrication, mais il y a une différence entre un travail de fabrication qui vise à s'approcher de la vérité, et l'utilisation systématique d'artifices,

---

[1] Et aussi parce que c'est ce que le système de financement mis en place par Téléfilm Canada favorise. Les *enveloppes de performance*, accordées aux producteurs des films les plus populaires au box-office, sont en fait un incitatif à faire des films « qui marchent » sans égard à leur qualité. On se référera au texte des *Cinéastes en colère*, publié dans *Le Devoir* du 16 décembre 2003. Ce texte est encore d'actualité et force est de constater que les signataires ont eu raison : le cinéma québécois est plus que jamais orienté vers le divertissement.

[2] Ce qualificatif a été utilisé par Martin Bilodeau dans *Le Devoir*, à propos de *Contre toute espérance*, de *Dans les villes*, de Catherine Martin, et de *Toi*, de François Delisle.

[3] Y compris évidemment le risque de faire un mauvais film.

[4] En latin *divertere*, « s'en aller, se séparer de ».

dont le *Robert* nous rappelle qu'il s'agit de « moyens trompeurs et habiles pour déguiser la vérité ». Ces artifices sont paraît-il ce que le client demande : la vie est si dure, pourquoi irait-on peiner devant le spectacle du malheur d'autrui, après une rude journée au bureau, quand on peut, pour 10 ou 12 dollars, s'évader de ce monde affligeant ?

*

*   *

Jean-Paul Sartre, alors qu'il était en plein compagnonnage avec le Parti communiste français dans les années 1950, rétorqua à des critiques de gauche qu'« il ne fallait pas désespérer Billancourt », voulant signifier par là qu'il ne faut pas forcément dire la vérité aux ouvriers, de peur de les démoraliser[1]. En sommes-nous arrivés à reculer devant la peur de désespérer Hochelaga (ou les petits-bourgeois du Plateau) ? En fait, la question est sérieuse et se pose malgré tout avec insistance : a-t-on le droit de faire des films sombres, des romans noirs, des pièces désespérantes ? À quoi cela peut-il bien servir ?

J'aimerais rappeler ici ces paroles de Rossellini, à qui l'on reprochait, justement, la noirceur de ses films : « Je ne suis pas pessimiste, car voir le mal là où il se trouve tient à mon avis de l'optimisme. » Voir le mal là où il se trouve, c'est le contraire du cynisme, dont l'intelligence désabusée s'arrange plutôt bien de

---

[1] Depuis longtemps, je pense que la censure du marché a peu de choses à envier à celle du Parti. Dans un entretien remarquable avec Ivan Klima, réalisé au lendemain de la chute du mur de Berlin, Philip Roth défend avec intelligence ce point de vue (voir *Shop Talk*, New York, Houghton Mifflin Harcourt, 2001). Évidemment, les artistes rejetés par le marché ne vont pas au camp de concentration, mais il faut bien reconnaître que plusieurs connaissent le sort de Klima et vont d'un petit métier à un autre, mais sans connaître la satisfaction de voir leurs œuvres rencontrer malgré tout des milliers de lecteurs fervents en *samizdat*.

la misère du monde. Voir le mal là où il se trouve, c'est refuser le défaitisme et croire, peut-être naïvement, qu'on peut quelque chose au monde et que l'indignation n'est pas inutile.

Il m'est arrivé, après une projection de *Contre toute espérance* dans une ville industrielle québécoise qui avait connu de nombreuses fermetures d'usine, de rencontrer une femme dont l'histoire ressemblait à celle de Réjeanne, l'héroïne du film. Son mari, victime d'un grave accident de travail, était impotent, et elle avait été mise à pied par l'entreprise où elle avait longtemps travaillé. Pendant des années, elle avait essayé de joindre les deux bouts, passant d'un emploi mal payé à un autre tout en soutenant son mari, qui, souvent déprimé, s'accrochait tant bien que mal à la vie. Elle avait dû vendre sa maison. Je me souviens très bien de cette femme encore jeune, solide, au regard clair. Guylaine Tremblay était à mon côté lorsque cette femme émue nous a dit : « Merci d'avoir fait ce film. Il faut que les gens sachent. » Guylaine lui demanda si elle n'avait pas trouvé le film trop noir. Elle nous répondit : « Non. Pas du tout. Voulez-vous savoir ce que j'ai trouvé dur dans toute mon histoire ? C'est la quantité de gens qui m'ont conseillé de quitter mon mari. »

Divertere : se séparer de. Ne pas accepter la responsabilité. Ne pas accepter de voir. Ne pas accepter d'être au monde. Fermer les yeux. Ne plus être. Avec mes films, je veux faire le contraire. Je veux être présent au monde, à sa beauté, à sa douleur. Et je veux partager avec les spectateurs cette idée très simple : il faut être attentif.

Comme un appel

Texte écrit en 2010, en guise d'épilogue à La trilogie des vertus théologales[1].

DANS LA DERNIÈRE lettre que j'ai reçue de Pierre Vadeboncoeur, il écrivait, à propos de mon livre d'entretiens avec Simon Galiero[2] :

> Sur un point, un point seulement, je discuterais ce que vous dites : « [...] on peut trouver une raison de croire dans les valeurs humaines. Pour moi, c'est suffisant[3]. » *Croire* dans des valeurs humaines ? Ce serait suffisant ? D'une certaine manière, oui, mais ce n'est pas de la *foi*, c'est de la raison. C'est du cœur aussi, si vous voulez. Or vous dites que vous n'êtes pas athée. Je pense effectivement que vous ne l'êtes pas.
>
> La « raison », les « valeurs humaines », on n'a pas foi en cela, sinon dans un sens secondaire.
>
> Vous et moi, je pense, allons plus loin que cela.

---

[1] Le texte « Comme un appel » a été publié dans *La donation, scénario et regards croisés*, Montréal, Les 400 coups, 2010 .

[2] *La perte et le lien. Entretiens sur le cinéma, la culture et la société*, Montréal, Médiaspaul, 2009.

[3] *Ibid.*, p. 72. Je disais en fait « on peut trouver des raisons de *vivre* dans des valeurs humaines », mais cela ne change rien à la validité des arguments de M. Vadeboncoeur qui, sans doute, me citait de mémoire.

La foi pointe vers l'infini, vers ce qui nous dépasse absolument. L'être, Dieu peut-être, selon le nom consacré.
Il y a de l'amour dans le geste de se tourner vers ce que j'appelle l'infini. Et un appel. Cela relève de l'ordre de la grâce.

Depuis la mort de monsieur Vadeboncoeur, j'ai plusieurs fois relu cette lettre et médité cette phrase : « Vous et moi, je pense, allons plus loin que cela. » Je n'aurai pas pu en discuter avec lui. Mais il est encore présent pour moi ; il vit à travers ses œuvres et souvent je me demande ce qu'il aurait pensé de tel livre, de telle idée, de tel événement politique. Je vais donc essayer de lui *répondre*. Je crois que cette idée d'un dialogue par-delà la mort lui aurait plu.

Lorsque j'ai entrepris, il y a huit ans, le travail sur ce qui allait devenir le scénario de *La neuvaine*[1], j'étais loin de me douter que je serais entraîné à m'interroger *personnellement* sur le sens de la foi. Au début, l'affaire tenait plutôt de l'analyse ethnologique : j'ai expliqué ailleurs[2] comment la redécouverte du fonds culturel canadien-français et du patrimoine chrétien m'avait amené à m'interroger sur la perte de sens dans le Québec contemporain. Mais cette démarche était, comment dire, *extérieure*. J'étais dans la position de l'anthropologue, « *outside looking in* », comme disent les Anglais.

Mais voilà, je suis aujourd'hui cinéaste et non anthropologue et le travail que je fais m'amène constamment sur le terrain de la vérité intérieure. J'ai beau partir du social, m'interroger sur lui, je le fais à travers des personnages dont la cohérence et la vérité dépassent, en quelque sorte, ce que je veux faire d'eux. Ils me résistent ; c'est d'ailleurs pourquoi les plus réussis d'entre eux ont une vérité qui me trouble. Ils ont une complexité et des contradictions qui m'échappent ; *quelque chose se pense à travers eux*. Je ne suis pas en

---

[1] Le premier synopsis date de décembre 2002.
[2] « Le silence », dans *La neuvaine, op. cit.*

train de faire l'apologie de l'improvisation ou d'une quelconque inspiration venue d'on ne sait où. Je dis seulement qu'un travail d'écriture sérieux et une attention réelle aux acteurs ne peuvent que nous amener devant une sorte de mystère : dans chaque être, dans chaque action, il y a quelque chose d'inconnaissable par les seules armes de la raison ; quelque chose qu'on ne peut nommer ; une richesse et une subtilité cachées mais que l'on sent néanmoins très fortement et qui sont absolument indispensables à la vérité du personnage et du film.

Impossible, dans ces conditions, de rester à l'extérieur : le film, les personnages nous travaillent autant qu'on les travaille. Un sujet : « la perte de sens dans le Québec contemporain » devient une histoire : « la rencontre d'un jeune homme simple et croyant et d'une femme désespérée et incroyante », puis pour finir une question, une question lancinante : « comment vivre sans foi ? » Tous les personnages importants de ce qui a fini par devenir une trilogie y sont confrontés, tout comme d'ailleurs son auteur.

Évidemment, il n'y a pas une seule réponse ; il y en a plusieurs qui deviennent autant de questions. Le jeune François, dans *La neuvaine*, est éprouvé dans sa foi par la mort de sa grand-mère, pour laquelle il avait tant prié. Que pense-t-il lorsque nous le laissons, triste et pensif devant le fleuve ? Je ne sais pas. Il est devant une énigme. Et Jeanne, sauvée par la bonté de François, lorsque nous la voyons, à la dernière image du film devant le prêtre du bureau des bénédictions à Sainte-Anne-de-Beaupré, que nous dit son regard ? Revient-elle sur son incroyance ? Je ne sais pas davantage. Quant au « Mon Dieu, aidez-moi » de Réjeanne, à la fin de *Contre toute espérance*, il reste bien sûr sans réponse. Nous sommes devant un mystère.

Très consciemment, et presque par réaction, j'ai voulu, dans *La donation*, proposer une réponse totalement laïque à la question

centrale de la trilogie. C'est le vieux docteur Rainville qui l'énonce
le plus clairement. Lorsque Jeanne lui demande s'il croit en Dieu, il
répond : « Moi, je crois une chose. Je crois qu'il faut servir. » J'ai dit
quelque part que je ne me suis jamais exprimé plus clairement à
travers un de mes personnages. Et effectivement, c'est précisément
la réponse que j'ai voulu donner, une réponse agnostique, humaniste et raisonnable. Mais enfin, il me faut bien reconnaître que le
film dit autre chose, qui n'invalide pas ma réponse laïque, mais qui
la dépasse et qui me dépasse à la fois.

Car ce film est traversé, habité par ce que Pierre Vadeboncoeur
aurait appelé une Présence. Elle est dans la lumière du matin, dans
les silences, dans les chemins de campagne déserts, dans la rivière
sauvage, dans les pains que défourne le boulanger, dans cette sonate
de Beethoven qu'il écoute, dans l'église de Normétal et dans son
curé qui doute. À la dernière scène du film, lorsque Jeanne, qui n'a
pu sauver la jeune mère victime d'un accident de la route, porte
son bébé dans ses bras, bien droite dans le paysage abitibien, nous
savons qu'elle a répondu à la question qu'elle se posait tout au long
du film : elle va bel et bien rester à Normétal. Mais cette réponse
n'est pas une réponse agnostique, humaniste et raisonnable, c'est
une adhésion, un assentiment.

Seule avec l'enfant sur la route déserte, elle se tient devant le
mystère de la vie et de la mort non pas froidement, objectivement,
sans parti pris, comme la femme de science qu'elle est : elle donne
au contraire son assentiment à quelque chose qui la dépasse ; la
vie, si je puis dire, passe à travers elle et Jeanne participe, consent,
adhère à quelque chose de plus grand qu'elle. Ce qui se passe alors
est, pour reprendre les mots de monsieur Vadeboncoeur, de l'ordre
de la grâce.

De la grâce ? Mais que peut bien valoir cette grâce-là, qui est
fabriquée, fabriquée de part en part, comme tout dans un film,

par une troupe de techniciens fourbus, un réalisateur angoissé et des comédiens qui attendent dans le brouhaha le moment où ils essayeront d'être vrais devant la caméra pendant 30 secondes ? Pourtant, il faut bien admettre qu'il y a des moments où quelque chose nous dépasse et où, dans le visage d'Élise Guilbault, de Guylaine Tremblay ou de Patrick Drolet, dans la lumière de Jean-Claude Labrecque ou de Sara Mishara, il se trouve quelque chose qui ne se réduit pas à notre travail ou à nos intentions.

Je ne parle pas de la « magie du cinéma », qui n'est rien d'autre qu'une technologie perfectionnée du mensonge, mais bien de son contraire. À force de dépouillement, de rigueur, d'attention, il arrive qu'une sorte de vérité éclate, non pas malgré nous, mais comme au-dessus de nous. Lorsqu'un film, lorsque des acteurs atteignent cela, quels que soient par ailleurs les manques du film, le cinéma arrive à être un art, quelque chose qui, comme le dit George Steiner, tient à la fois de la rupture et de la rencontre. C'est une chose assez rare.

Au bout du compte, il y a dans les films de la trilogie quelque chose qui me dépasse, que je ne peux que reconnaître, et qui est arrivé *par le cinéma*, par l'attention au monde que le cinéma impose. Je ne sais plus qui a dit que le cinéma était l'art de l'invisible, mais je comprends maintenant qu'il y a une vérité dans ce paradoxe.

*

*   *

Lorsqu'il m'a été donné de présenter les films de la trilogie à des spectateurs au Québec ou à l'étranger, j'ai tenu la plupart du temps à préciser avant les projections que ces films étaient l'œuvre d'un réalisateur qui, malgré un attachement profond au patrimoine chrétien, demeurait agnostique. J'essayais par là de prévenir toute accusation de prosélytisme.

Dans un monde obnubilé par la transgression obligatoire, il est plus mal vu de parler de religion que d'inceste ou de pornographie.

Mais très souvent il se trouvait quelqu'un, à l'issue des projections, pour me dire qu'il était impossible qu'un non-croyant fasse des films pareils. Je répondais généralement que même si je trouvais dans le patrimoine chrétien une grande richesse symbolique, ainsi qu'un fondement possible à une nécessaire exigence éthique, je n'étais pas croyant (mais pas athée) et que j'étais même plutôt allergique aux dogmes religieux par lesquels se justifient les fondamentalistes de tous les bords.

J'insistais tout de même sur la nécessité de la transcendance, fût-ce d'une transcendance sans Dieu, bricolée au besoin avec des valeurs humanistes. Et je concluais en disant quelque chose comme : « Si nous ne reconnaissons pas l'existence de quelque chose qui est plus grand que nous, de plus grand que notre égoïsme ou nos intérêts, que ce soit Dieu ou des valeurs comme la justice ou la solidarité, nous sommes perdus. » J'ai répété sensiblement la même chose à Simon Galiero lors de nos entretiens. Or on pouvait compter sur Pierre Vadeboncoeur pour voir la faille dans l'argumentation.

Mais au bout du compte, il s'agit de bien autre chose que de logique ou de raisonnement. Monsieur Vadeboncoeur l'a d'ailleurs parfaitement exprimé dans *La clef de voûte* :

> Ma raison raisonnante, tout à fait sceptique, ne concède rien et néanmoins, par en dessous, se maintient en moi tout naturellement une espèce de confession innée grâce à laquelle, sans difficulté aucune, je reste comme en rapport avec un être personnel que je ne nomme pas, mais qui habite je ne sais comment ma conscience d'une manière aussi constante que l'est celle-ci même. Je suis en effet profondément fidèle à Cela qui est en moi. C'est ainsi. Cette Réalité fait partie de ma vie

et je ne puis m'en abstraire plus que de celle-ci. J'ai le sentiment de n'être pas seul[1].

Je ne suis pas loin de reconnaître ce dont il parle. Lorsque j'écris que quelque chose me dépasse dans les films de la trilogie, ou en tout cas dépasse mes intentions conscientes, c'est de cela qu'il s'agit. Mais pas plus que monsieur Vadeboncoeur, je ne puis le nommer. Je n'y tiens pas, d'ailleurs. Mais je sais que cela, à un degré mille fois plus grand que dans mes films, traverse la musique de Bach et les quatuors de Beethoven ; je sais que cela illumine *La dentellière* de Vermeer, *La pourvoyeuse* de Chardin ou les derniers tableaux de Borduas ; je sais que cela apparaît dans des élans de générosité ou de solidarité ; je sais par-dessus tout que cela éclate dans la nature ; et je sais que de le reconnaître m'élève et me rend plus attentif au monde. Que cela soit le produit d'un émerveillement de l'esprit devant le mystère du monde ou l'indice d'une Présence réelle, cela n'a au fond pour moi aucune importance. Mais *cela* est, je ne puis que le reconnaître. Si cela fait de moi un croyant, eh bien soit. Et, tant qu'à aller au bout de cette confession, j'ajoute qu'une intuition me travaille : celle qu'il ne peut y avoir de grandeur en art (ou en politique) sans cette foi[2]. Quant à moi, les œuvres où cela est absent ne m'intéressent plus.

Mais je m'arrête ici. Je ne suis ni philosophe ni théologien. Je ne suis qu'un cinéaste, quelqu'un qui fabrique des histoires de peine et de misère avec un outil encombrant et rébarbatif. Je ne savais pas, il y a huit ans, où me mènerait ce travail. Je ne le sais toujours pas. Mais j'ai redécouvert une part cachée du monde qui, si elle n'abolit ni la douleur, ni la misère, ni le mal, n'en est pas moins là, comme un appel.

---

[1] *La clef de voûte*, Montréal, Éditions Bellarmin, 2008, p. 20.

[2] J'ajoute pour l'art : ou sans son envers, le *manque* qui vient du besoin inassouvi de cette foi, manque qui éclaire de sa lumière noire des œuvres essentielles et désespérées.

Mot de bienvenue
à l'équipe de *La donation*

Texte lu à l'équipe du film le 5 septembre 2008, à la veille du premier jour de tournage.

L A DONATION termine ma trilogie sur les vertus théologales, la foi (*La neuvaine*) l'espérance (*Contre toute espérance*) et la charité. Ces trois vertus, comme le rappelle l'essayiste québécois Pierre Vadeboncoeur, opèrent un renversement des choses. Elles vont à contre-courant, contre l'ordre d'un monde injuste et aveugle. Elles vont contre le cynisme, contre l'oppression, contre l'idée qu'on ne peut rien face au mal.

La donation parle aussi d'autre chose. Au centre du film, il y a l'idée que nous avons une dette à l'égard de ceux qui nous ont précédés, que nous avons des devoirs envers ceux qui nous suivent et que nous sommes responsables de nos gestes et responsables les uns des autres.

Selon moi, ce sont des idées tranquillement, mais profondément subversives, dans un monde ou la liberté individuelle est mise au-dessus de tout, quelles que soient les conséquences de cette liberté. Dans ce monde-là, on peut abandonner sa femme cancéreuse parce qu'on la perçoit comme une entrave à notre liberté.

Dans notre film, Jeanne prend un autre chemin : elle accepte une responsabilité, un poids, une contrainte, parce qu'elle sait que c'est cela, être humain.

Et parlant de subversion, une autre sorte de subversion est à l'œuvre dans ce film. Cette subversion-là s'appelle *le cinéma*. Dans un monde inondé de milliards d'images inutiles, manipulatrices et menteuses, nous allons essayer de faire un film où chaque plan a du sens et résonne d'une vérité humaine. Et en faisant cela, je pense que nous avons la chance et l'inestimable privilège de créer ensemble un peu de beauté.

Bon tournage à tous.

PRÉSENTATION
DE LA RÉTROSPECTIVE ITALIENNE
DE LA *TRILOGIE DES VERTUS*
THÉOLOGALES [1]

L A NEUVAINE, *Contre toute espérance* et *La donation* forment une trilogie sur les vertus théologales : la foi, l'espérance et la charité. On m'a souvent demandé pourquoi un non-croyant s'attaquait à pareil sujet. C'est chez l'essayiste québécois Pierre Vadeboncoeur que j'ai trouvé la réponse qui me convient le mieux : ces trois vertus traversent la condition humaine et opèrent un renversement des choses. Elles vont à contre-courant, contre le destin, contre l'ordre d'un monde impitoyable et désenchanté. Elles sont subversives.

Jusqu'aux années 1960, le Québec, comme l'Italie, a été une société profondément catholique. Mais en deux générations, cet héritage a été massivement rejeté. Chez nous, on a souvent expliqué cet abandon par une réaction au pouvoir excessif de l'Église et à ses

---

[1] Les films ont été présentés à Rome du 14 au 16 décembre 2009, dans la foulée du festival *Tertio Millenio*, et à Milan, en projections répétées, du 11 au 20 décembre 2009, à la *Cineteca Italiana*.

compromissions avec l'État et le patronat, ainsi que par un dégoût face aux scandales en tous genres qui ont impliqué des membres du clergé. Cette analyse est juste, mais superficielle. S'il faut chercher une cause profonde de cette désaffection, c'est dans la progression de l'hédonisme individualiste, du consumérisme et de la culture de masse, prophétiquement décrite par Pasolini dans ses *Écrits corsaires*, qu'on doit la trouver.

Ainsi donc, nous nous retrouvons libérés de tout, mais nous sommes isolés, désorientés et accablés par le sentiment irrémédiable d'une perte de sens. C'est dans ce contexte que j'ai voulu revisiter le patrimoine chrétien. J'ai d'abord voulu réaffirmer la place centrale que ce patrimoine a tenue dans la culture québécoise. Aux xviiie et xixe siècles, le catholicisme a maintenu les liens d'un petit peuple de paysans isolés avec les grandes cultures de l'Europe et la richesse d'une tradition deux fois millénaire.

Mais surtout, au-delà de ce travail d'archéologue, j'ai voulu, en me servant des métaphores que m'offrait le patrimoine chrétien, parler du monde contemporain. Le triomphe idéologique du néolibéralisme et de l'égoïsme de masse qui l'accompagne nous laisse devant un désert. Pour faire face à ce désastre culturel et moral, il m'est apparu que les idées de péché, de sacrifice et de rédemption n'avaient rien perdu de leur pertinence, et que les vertus de foi, d'espérance et de charité, même envisagées d'un point de vue simplement humaniste, étaient plus que jamais nécessaires.

Nous ne retrouverons pas ce qui a été perdu. Personne ne souhaite d'ailleurs revenir aux familles de 15 enfants, au pouvoir arbitraire des curés et à un rigorisme étouffant. Mais en posant désormais un regard plus serein sur notre héritage chrétien, nous pouvons prendre la mesure de ce qui nous manque et que nous devons renouveler, que nous soyons croyants ou non.

Il y a trop d'images

Lettre aux jeunes gens qui me demandent comment devenir réalisateur[1].

Il y a trop d'images. Chaque jour, nous sommes submergés par une quantité monstrueuse d'images grossières, menteuses, nuisibles : publicités imbéciles (ou pire : intelligentes), émissions de télévision stupides et racoleuses, « documentaires » voyeurs, photographies et journaux d'une invraisemblable vulgarité. L'espace public et privé est envahi par des images qui vendent et se vendent, l'un étant indissociable de l'autre. Aussi, quand une jeune personne me demande comment devenir réalisateur ou réalisatrice, je réponds : pour quoi faire ?

Les gens qui veulent être réalisateurs ne m'intéressent pas. Ce sont ceux qui veulent faire des films[2] qui m'intéressent. Et qu'on ne vienne pas me dire que c'est la même chose. Qu'on ne vienne pas me dire que quelqu'un qui fabrique de la publicité fait la même chose que Bergman ou Rossellini. On me dira : « Il faut bien vivre. »

---

[1] Publiée dans *Métier réalisateur*, Montréal, Les 400 coups, 2006.

[2] Je dis « films » et « cinéma », mais qu'on me comprenne bien : je pense qu'il y a plus de cinéma dans les vidéos de Robert Morin ou de Chris Marker que dans l'immense majorité des productions tournées sur pellicule.

Je réponds : « C'est vrai, et l'argent du loyer et de la nourriture est honorable. Mais celui de la BMW et de la maison à Westmount ne l'est pas. » On me dira aussi : « On y apprend le métier. » Je réponds : « Ce qu'on y apprend, c'est à s'incliner devant l'argent. Ce qu'on y apprend, c'est à fabriquer des images qui vendent et qui mentent. Ce qu'on y apprend, c'est à fabriquer la toile de fond de la société marchande. » Devant cette toile de fond, comme devant l'insupportable cacophonie du siècle, j'aspire au silence et à l'obscurité.

Mais alors que répondre à ceux et celles qui sont animés par un véritable désir de cinéma ? Je ne peux répondre que par deux évidences : qu'il faut avoir quelque chose à dire et qu'il faut apprendre à résister.

*
* *

Il faut avoir quelque chose à dire, ce qui n'est pas rien dans un monde où la machine à communiquer carbure au vide. Si vous vous demandez ce que vous pourriez bien dire ; si vous cherchez un « sujet » pour votre prochain film ; si vous hésitez entre les musiciens de rue, l'aphasie et l'histoire du vin au Québec ; si vous vous demandez ce qui pourrait « passer » à Radio-Canada ou à Téléfilm, vous n'avez manifestement rien d'important à dire. Rentrez chez vous et trouvez-vous une vraie job. Les œuvres fortes naissent d'une nécessité et elles s'imposent comme une évidence. Mais d'où vient cette nécessité ? Elle vient d'un rapport intense au monde et aux œuvres d'art, ainsi que d'une vie intérieure riche.

Chaque artiste sérieux a, à partir de ce qu'il est, à réfléchir et à réagir au monde qui l'entoure et à l'histoire de l'art qu'il pratique. Ce sont cette réflexion et cette réaction qui le constituent comme artiste et qui le mettent au monde. Il y a des artistes qui se sentent davantage interpellés par l'état du monde (disons Rossellini) et d'autres, par l'art qu'ils pratiquent ou par l'art tout court (disons Bergman), mais il s'agit de degrés et une position n'a pas de supériorité intrinsèque sur l'autre. Sans ce rapport au monde (on pourrait le nommer : engagement[1]) et sans ce questionnement sur le sens et l'esthétique, il n'y a pas d'art.

Le peintre américain Syd Solomon écrivait que pour pouvoir reconnaître un bon tableau, il fallait en avoir vu un million. De même, pour faire un bon film, il faut en avoir vu beaucoup, et il faut prendre position par rapport à ce qu'on a vu. Mais cette prise de position est impossible sans une connaissance des autres arts et du monde qui nous entoure : elle est impossible sans culture. Je ne dis pas qu'il faut avoir tout lu et tout vu avant de se mettre au travail (ce serait d'ailleurs paralysant) : je dis qu'il faut se colleter avec la culture et avec le monde. Je n'ai aucune sympathie pour l'idée très québécoise que tout le monde a quelque chose à exprimer. Au sens strict, c'est vrai, bien entendu : chaque vie vaut la peine d'être racontée. Combien de fois n'ai-je pas entendu des gens dire : « Ah ! si j'étais écrivain, quel livre je ferais avec ce que j'ai vécu ! » Et ils avaient raison. Mais voilà, il leur faudrait « être écrivain », ce qui implique une culture, un métier, une sensibilité. Sauf exceptions[2], la culture, le métier et la sensibilité sont incontournables.

J'ai parlé de la culture. Je ne parlerai pas longuement du métier puisque dans notre société technique le savoir-faire est roi et tient

---

[1] Une œuvre n'a pas à être politique pour être engagée. Pour moi, les grands films de Kurosawa, *Ikiru* (*Vivre*) et *Barberousse*, par exemple, sont profondément engagés.

[2] Et il y en a : il y a des récits de non-écrivains qui valent bien des romans : *Le cheval d'orgueil*, de Pierre-Jakez Hélias, par exemple. Mais pour un de ces récits extraordinaires, combien de nullités, souvent l'œuvre de *ghostwriters* pressés et distraits.

souvent lieu de pensée. Il y a d'ailleurs des écoles qui enseignent très bien comment ne rien dire et comment le faire au goût du jour. Aux écoles, je préfère l'apprentissage, au vieux sens, celui qui s'acquiert par le travail et par le contact avec les grandes œuvres. À mon sens, on ne pourrait pas faire beaucoup mieux que de passer toutes ses soirées pendant quelques années à la Cinémathèque. On y apprendrait, pour peu qu'on sache regarder, que la technique n'est pas neutre et qu'il y a une morale du plan, de la lumière et de la coupe.

Reste la sensibilité. S'il y a une chose qui est menacée par le tintamarre ambiant, c'est bien celle-là. Sait-on encore regarder un visage ? Sait-on encore écouter une histoire ? Reconnaît-on encore le sens d'un silence ou la délicatesse d'une émotion ? Cela devient difficile : les troupes de choc de la culture de masse s'avancent dans le fracas et la vulgarité, et ils colonisent le goût contemporain. Il m'arrive de penser que les 20 ou 30 heures de télévision qu'ingurgitent chaque semaine la plupart de nos contemporains vont finir par les rendre insensibles à tout ce qui n'est pas rires gras, effets spéciaux, dialogues artificiels et jeu convenu. Le danger, évidemment, c'est que la maladie nous gagne, cinéastes, artisans et comédiens. Alors il faut résister.

*

*   *

Résister, c'est la grande affaire. Il n'y a rien de possible sans cela. Résister à l'insignifiance ambiante, c'est déjà quelque chose, mais pour ne pas tomber dans le cynisme, qui est la maladie contemporaine des gens intelligents, il faut encore savoir résister à l'argent et au découragement. Devant un monde qui se dégrade et qu'on désespère de voir changer, la tentation est forte de rentrer dans le rang et de céder. Combien de socialistes de 20 ans sont devenus des bourgeois satisfaits de 50 ans ? Combien de jeunes cinéastes se sont perdus corps et âme dans l'« industrie » ou ont baissé les bras devant l'inacceptable ? On dit que c'est normal. Chris Giannou [1], à qui on demandait comment il se faisait qu'il avait conservé les idéaux de sa jeunesse, répondait que c'était plutôt à ceux qui les avaient reniés qu'il faudrait poser la question.

Il importe de se rappeler que nous ne sommes pas seuls. Chaque génération de cinéastes crée des réseaux d'affinités et de solidarité, à travers des institutions, des maisons de production ou des groupes informels. L'Office national du film (ONF) de la grande époque, l'Association coopérative de productions audiovisuelles (ACPAV), la Coop Vidéo, les Films de l'Autre ont favorisé des liens entre producteurs, cinéastes et techniciens qui leur ont permis de produire des œuvres fortes. On ne dira jamais assez l'importance de ces liens, et d'une certaine effervescence faite d'entraide, de discussion, de critique, d'influences mutuelles (par attraction comme par opposition) et d'émulation.

Le lien entre producteur et cinéaste est particulièrement important. Je ne me lancerai pas dans une diatribe contre les producteurs et productrices : je sais trop ce que je dois à celles (et à celui) avec qui j'ai travaillé, et qui ont soutenu mon travail avec goût, intelligence et détermination. Elles [2] ont été les premières lectrices, spectatrices et critiques. C'est un travail nécessaire et délicat (parce qu'il comporte forcément des aspects conflictuels) qui va bien au-delà de la mise en œuvre des moyens matériels. Je dois pourtant rappeler le tort que peuvent causer aux œuvres et au cinéma national ceux et celles qui pratiquent le métier comme une *business*, qui flairent les

---

[1] Médecin canadien qui a servi dans les camps de réfugiés palestiniens au Liban.

[2] Je me permets une entorse à la grammaire puisque huit de mes neufs films « professionnels » ont été produits par des femmes.

modes et vénèrent le box-office, qui considèrent les films comme des produits ou qui tournent des budgets et non des scénarios. Alors, il importe de bien choisir (et d'être bien choisi).

*

*   *

Mais au bout du compte, à celles et ceux qui aspirent à devenir cinéastes, il faut par-dessus tout rappeler que l'art est à la fois une rupture et une rencontre. Une rupture, parce que l'artiste doit sortir de lui-même, combattre les évidences et la facilité, affronter et décoder le monde. Mais l'art est aussi une rencontre parce qu'il y aura, un jour, dans une salle obscure, quelqu'un à qui on parlera[1]. Comme le dit George Steiner, le lecteur (le spectateur) doit à l'œuvre une certaine courtoisie : il doit accepter de s'ouvrir à elle, de faire l'effort de la lecture et de la compréhension. Mais encore faut-il que la rencontre en vaille la peine et que l'œuvre offre autant qu'elle exige.

---

[1] Je dis parler comme les aveugles disent voir. Vraiment parler, vraiment voir.

Savoir, ne pas savoir [1]

JE NE SAIS PAS comment faire un documentaire.

Un réalisateur de ma connaissance m'a rapporté le commentaire d'un membre de son équipe pendant un tournage où il « arrangeait » un peu les choses : « Ça n'est pas du documentaire. »

Ah ! l'heureux homme, il sait ce qu'est le documentaire. Moi je ne le sais pas.

J'aime à la fois *24 heures ou plus*, de Groulx, les films d'Arthur Lamothe, le *60 cycles*, comme le *Marie Uguay* de Labrecque, *De la tourbe et du restant*, de Bélanger, *Au bout de mon âge* de Dufaux, *Le chic resto pop*, de Tahani Rashed et la *Lettre à mon père* de Michel Langlois, et je cherche ce que ces documentaires si différents ont en commun. Voici ce que je trouve : ils ont en commun la lumière, la pellicule, et le cinéma.

Le cinéma, faut-il encore le dire, est un art d'effets et de fabrication. Même en documentaire, même avec une équipe réduite, ce qu'on voit à l'écran est fabriqué de part en part. La spontanéité, l'émotion et la vérité sont le produit d'un travail et d'une intention. Il y a des documentaires paresseux, dans lesquels des moments de magie extraordinaires (et il y en a presque toujours, ne serait-ce

---

[1]Publié dans *Un cinéma sous influence. La revue* Lumières *1987-1992, une anthologie*, Montréal, Éditions Isabelle Hébert/L'Étincelle Éditeur, 1993, p. 186-188.

qu'en raison de la générosité des gens que l'on filme) sont gâchés parce que le réalisateur ou la réalisatrice n'assume ni son travail ni ses intentions.

Ce que je dis est simple : au cinéma documentaire, la réalité elle-même est sans intérêt. Ce qui m'intéresse comme spectateur, c'est la rencontre d'une réalité et d'un ou une cinéaste. Ça peut être un combat ou une danse, un rapport de séduction ou un jeu, peu importe : il y a cent façons de faire un bon film. Mais il faut que la rencontre ait lieu, et qu'elle produise une forme et un sens. Qu'elle produise une œuvre d'art. N'ayons pas peur des mots et rappelons-nous le sens premier du mot œuvre, qui est celui de *travail*.

Je ne sais pas ce qu'est le documentaire. Chaque fois que je pense le savoir, un nouveau film vient bouleverser ma conviction. Ah ? Voici encore une autre façon de *travailler*.

Documentaire (définition d'un ignorant) : travail filmique sur le réel.

*

*   *

Je sais comment faire mon prochain film.

Braque a dit un jour : « Comment me serais-je trompé ? Je ne savais pas ce que je voulais. » Je l'envie. Moi, je peux me tromper infiniment. Je sais ce que je veux. Et chaque choix est une erreur possible.

Quand je prépare un documentaire, je le scénarise comme un film de fiction. Évidemment, *ça* bouge au tournage et au montage et *ça* ne se passe jamais exactement comme prévu. Tant mieux, d'ailleurs. C'est le réel qui reprend ses droits. Mais il n'empêche que mon film est commis, compromis dès le scénario.

Il y a des cinéastes qui sont comme des trappeurs du réel, qui piègent avec art des moments privilégiés et se laissent piéger par eux. Ils fabriquent des films admirables où l'essentiel, me semble-t-il, se joue au tournage. Ça n'est pas mon cas. Pour moi, le film se joue davantage à l'écriture et au montage (qui est une autre forme d'écriture). Je ne crois pas qu'une méthode soit supérieure à l'autre. Si je travaille ainsi, c'est à la fois par choix et par nécessité, parce que j'y trouve du plaisir, que ça me permet de dire ce que j'ai à dire, de jouer avec la forme, et finalement parce que ma tête est faite comme ça.

Je travaille à partir de métaphores, je cherche des liens entre les choses, j'essaie de trouver un rythme, de produire une émotion et un sens. Je compose. J'aime ce mot, qui évoque à la fois la musique, les arts visuels, la cuisine (les salades composées !) et les efforts maladroits des élèves du primaire, qui *font leur composition* : je me sens proche d'eux.

Je connais des cinéastes dont je suis sûr qu'ils sont tombés dans la potion magique quand ils étaient petits. Ils ont une aisance qui me stupéfie. Ils ont l'air de savoir ce qu'ils font et d'être certains que ça va marcher. Pour moi qui vis dans la crainte constante de l'erreur, ils sont fascinants. Je les admire, mais je ne les envie pas.

Au fond j'aime bien ne pas savoir. Et savoir.

À DISTANCE HUMAINE

Texte publié sur le site Internet de la Cinémathèque québécoise à l'occasion de la rétrospective Raymond Depardon en juillet 2009.

IL Y A DES MOMENTS, dans *San Clemente* (1982), où le cinéaste, littéralement, ne sait pas où se mettre. Nous sommes dans un asile psychiatrique sur une île au large de Venise. La caméra, comme un chien qui flaire une piste puis une autre, capte une scène, va chercher un visage, se détourne, s'éloigne puis s'approche très près, souvent trop près. Il en résulte, pour le spectateur, un malaise. De quel droit, nous demandons-nous, Depardon filme-t-il cela ? Et nous, de quel droit regardons-nous ces images impudiques ? Dans une culture qui fait de la transgression son ordinaire, ces questions peuvent sembler superflues. Ce sont pourtant les plus importantes que peuvent se poser un cinéaste ou un spectateur.

Dans les *Profils paysans* (2001, 2005) puis dans *La vie moderne* (2008), on a au contraire le sentiment très vif que le cinéaste est toujours à sa place, et nous avec lui. La caméra est à distance humaine, ce qui n'a rien à voir avec une quelconque distance physique. Un gros plan comme un plan très large peuvent être « à distance humaine ». C'est au fond une question d'éthique. Cette personne, qui est devant moi et que je filme, est-ce que j'en fais un objet, ou est-ce que j'entre en relation avec elle « d'homme à homme » ? Peu de documentaires donnent à ces questions une réponse aussi limpide que les films paysans de Depardon. Dans ces films, qui sont pour moi parmi les plus beaux de l'histoire du cinéma, nous sommes constamment, totalement, du côté de l'humain, du respect et de l'honneur. Depardon est invité chez des gens qu'il connaît et qu'il aime, et c'est un invité curieux, sensible, et qui sait vivre. Il ne refusera pas le café qu'on lui offre. Il saura se taire et attendre.

Dans la filmographie de Depardon, il y a un moment où pour moi tout se met en place : c'est la scène du décès dans *Faits divers* (1983). Jusqu'à cette scène, Depardon suit des policiers du 5ᵉ arrondissement dans leurs patrouilles. Son travail n'est pas très différent de celui d'un bon photographe de faits divers, justement. Mais arrive ce décès et Depardon trouve sa place, dans un coin de la pièce, à distance respectueuse, et il n'en bouge plus. L'effet est saisissant, non seulement parce que cette place lui permet de filmer ce qu'il filme, la douleur du compagnon de la suicidée, la perplexité des policiers, mais surtout parce qu'elle marque une forme de respect. Le cinéaste, et le spectateur avec lui, n'est plus un voyeur, mais un témoin qui ne transgresse pas les règles de la commune humanité. *Urgences* (1987) revient d'une certaine façon sur la matière de *San Clemente* puisque l'urgence psychiatrique d'un grand hôpital nous met en présence de formes voisines de la détresse humaine. Mais ici, constamment, Depardon est à sa place, qui n'est ni celle de l'interne, de la travailleuse sociale ou du parent éploré, mais encore là celle du témoin.

Les films « à dispositif » de Depardon, *Délits flagrants* (1994) et *10ᵉ chambre, instants d'audience* (2005), sont parmi les plus troublants de l'histoire récente du cinéma documentaire. Filmés en plans fixes, sans autres interventions que l'emplacement initial de la ou des caméras et le choix des scènes conservées au montage, ces deux films atteignent à une densité humaine incomparable. Toutes les nuances de la vérité et du mensonge s'y trouvent et les prévenus jouent parfois autant pour les juges que pour la caméra. À première vue, peu de films pourraient autant prétendre à l'objectivité, puisque les interventions du cinéaste sont réduites à presque rien. Et pourtant, ces films font la démonstration éclatante de l'incontournable subjectivité du regard cinématographique. Depardon pourrait bien nous dire : « Cela se passe un peu parce que je suis là, et vous êtes là avec moi. Nous sommes liés, eux, vous et moi, à même hauteur. »

Pour George Steiner, l'œuvre d'art doit être à la fois une rupture et une rencontre. L'auteur et le lecteur (le spectateur) doivent sortir d'eux-mêmes et rompre avec leurs certitudes pour aller au-devant de ce qui est autre. La vie de Raymond Depardon, autant que son œuvre, illustre ce principe. Fils de paysan, il a rompu avec ce qu'il était et fait bien des fois le tour du monde à la recherche de l'autre avant de revenir, après une vie d'images, à son point de départ. Dans les deux *Profils paysans* et dans *La vie moderne*, le grand cinéaste est parfaitement à sa place : il est là, avec les paysans, il est d'eux et nous sommes avec lui. Le sentiment de la perte et la douleur devant la disparition d'un monde, si vifs pour le spectateur qui regarde ces films, ne sont possibles que parce que le cinéaste a créé un lien entre lui, nous et ces gens que nous regardons. En documentaire, on ne peut pas faire plus, on ne peut pas faire mieux.

LE TINTAMARRE

Texte écrit en février 2006 pour un regroupement demandant une limitation du volume sonore des bandes-annonces dans les salles commerciales.

VERS 1996, on demandait à Jacques Attali comment il pensait que le millénaire se terminerait. Il répondit qu'il n'en savait rien, mais qu'il était sûr d'une chose, c'est qu'il finirait dans une cacophonie épouvantable. Mesdames et messieurs, bienvenue au XXIe siècle.

Dans la plupart des salles commerciales, assister à la projection des publicités et des bandes-annonces relève maintenant de la torture. Et si on a en plus le malheur de tomber sur la bande-annonce de ce qu'on appelle un « film d'action », le stimulus auditif dépasse carrément le seuil de la douleur. Je suppose que c'est ce qui fait vendre certains films aux adolescents mâles déjà décérébrés par le tintamarre incessant de la culture de masse.

J'aimerais rappeler aux propriétaires de salles qu'il y a un autre public que celui-là, et que cet autre public va finir par préférer regarder des films à la maison plutôt que de subir une série d'agressions qui commence dès l'entrée, avec une musique d'ambiance insupportable, qui se poursuit à l'intérieur avec les jeux vidéos toni-truants, et qui se termine dans la salle avec des bandes-annonces destinées, semble-t-il, à des sourds qui ont un âge mental de huit ans et une surabondance de testostérone.

Il y a encore des gens qui vont au cinéma pour être attentifs à une œuvre, pour être touchés par elle, pour en être émus, et qui sont encore sensibles à la subtilité et à l'intelligence. Ne les faites pas fuir : ce sont des spectateurs fidèles qui aiment vraiment le cinéma.

Pour eux, comme pour les mélomanes qui vont au concert, tout devrait commencer sur du silence. Imagine-t-on un récital d'Alfred Brendel précédé par des pubs agressives de CKOI, de CHOM ou du dernier *opus* de Public Enemy ? Non, évidemment, c'est impensable. Ce serait manquer de respect à l'égard des œuvres, de l'artiste et de son public.

Le respect, messieurs-dames, juste le respect. C'est tout ce que je demande, comme cinéaste et comme spectateur.

TROIS NOTES BRÈVES

L'enfant

Présentation du film L'enfant, *des frères Dardenne, au ciné-club Ciné Groulx en mars 2006.*

L ES FILMS des frères Dardenne commencent à un niveau d'intensité qu'atteignent peu de films à leur point culminant. Et ils se tiennent à ce niveau pendant toute leur durée. Mais qu'on me comprenne bien : quand je dis intensité, je ne veux pas dire cette agitation qui est devenue une technique de conditionnement et d'abrutissement du spectateur dans la culture de masse américaine. Vous savez ce que je veux dire.

Non, les films des frères Dardenne sont intenses parce qu'ils sont sans relâche attentifs à ce que la condition humaine comporte de tragique. Mais ils ne sont pas exempts de tendresse, parce que la tragédie révèle la fragilité humaine et appelle la compassion, une compassion qui n'a rien à voir avec la pitié, une compassion opiniâtre et sans espoir.

Il y a dans le film que vous allez voir la plus forte métaphore qu'il m'a été donné de rencontrer dans le cinéma contemporain sur la perte du sens moral dans notre société où l'horreur économique triomphe. Évidemment, je vous laisse la découvrir[1]. Cette seule idée ferait du film une œuvre importante. Mais il y a aussi le reste : le filmage sans concessions ni compromis, le jeu des acteurs exempt d'artifices et de faussetés.

Les films des frères Dardenne sont des modèles d'attention au monde et ils exigent en retour l'attention du spectateur. On doit lire leurs films avec la même attention qu'on doit, par exemple, aux romans de Dostoïevski. Lire, nous dit George Steiner, implique une responsabilité, c'est-à-dire une réponse, une réponse au texte, à la voix et à la présence d'autrui.

Le travail des Dardenne appelle cette responsabilité. C'est à cela qu'on reconnaît une œuvre d'art véritable.

Enfants de chœur

Présentation du film Enfants de chœur *de Magnus Isaacson, à la Cinémathèque québécoise, en octobre 2009.*

Il y a deux films dans *Enfants de chœur* : en surface, un *feel-good movie* sur des marginaux qui retrouvent la dignité en chantant et, derrière, un film pénétrant sur la difficulté d'être et sur la difficulté d'aider. Il n'y a aucun angélisme dans ce film ; on est dans l'humain jusqu'au cou : les choristes sont poqués, égoïstes et manipulateurs autant qu'ils sont généreux et attachants, et le désintéressement de leur directeur de chorale bénévole n'est pas exempt de prosélytisme et d'un certain goût du pouvoir et de la reconnaissance. La grande richesse du film tient justement à la tension entre ces éléments. On y comprend que le don n'existe pas sans une forme d'échange, et que dans l'échange, on se compromet toujours. Cela n'enlève rien à la générosité et au courage des protagonistes, sans lesquels

---

[1] Il s'agit de la scène où le protagoniste du film vend son nouveau-né.

la chorale n'aurait jamais existé ; seulement, le film ne cède ni aux simplifications, ni aux bons sentiments. *Enfants de chœur* rend la vie dans toute sa beauté et sa complexité.

Servir

Texte d'hommage à Pierre Falardeau pour les Rendez-vous du cinéma québécois, février 2010.

Pour Pierre Falardeau cinéaste, la réalité était souveraine. Ses films venaient du réel et il voulait qu'ils retournent dans le réel pour agir sur lui.

Pierre Falardeau était l'héritier d'une longue lignée d'artistes pour qui l'art venait du peuple et devait retourner au peuple pour mériter d'exister : Siqueiros, Miron, Orwell, Perrault, Neruda. Tous avaient de leur travail une conception que partageait Pierre : ils voulaient servir.

Vouloir servir : c'est-à-dire reconnaître l'existence de choses qui sont plus grandes que nous, qui sont dignes de foi, qui valent qu'on s'engage pour elles. Pour Pierre Falardeau, l'existence de ces choses ne faisait aucun doute : l'égalité, la justice, l'indépendance.

Il est de bon ton aujourd'hui de mettre en question ce que ces valeurs représentent, de les relativiser, de les rapetisser jusqu'à l'insignifiance, d'en douter. Pour Falardeau ces valeurs n'étaient pas des questions, mais des réponses. Et elles éclatent dans tout son cinéma.

Il faut le dire : les films de Pierre, quelle que soit leur forme, documentaires, drames, comédies, tragédies, pamphlets, tous ses films sont un long cri de revendication pour l'égalité, la justice, l'indépendance. Cri d'alarme, de détresse, de colère.

D'une certaine manière, ses trois grands longs métrages, *Le party*, *Octobre* et *15 février 1839* sont un seul et même film de protestation. La métaphore de l'enfermement en est le centre absolu. L'enfermement, c'est-à-dire le contraire de la liberté et de l'indépendance. Le contraire de la justice.

Mais il en va ainsi de tous ses films et on peut voir les *Elvis Gratton* comme une charge contre l'enfermement dans la bêtise. L'enfermement dans l'injustice, la servitude et la dépendance.

Pour Pierre Falardeau, le cinéma, c'était le combat politique continué par d'autres moyens. Au Québec, parmi les cinéastes de sa génération, on chercherait en vain quelqu'un qui ait autant agi sur le réel. Pierre Falardeau était un homme libre. Il a servi.

Deuxième partie

Ce qui importe

Droits et devoirs

Allocution prononcée lors de la réception d'un doctorat honorifique à l'occasion de la cérémonie de clôture de l'année universitaire de l'Université Saint-Paul à Ottawa, le 18 avril 2010.

JE REMERCIE l'Université Saint-Paul pour ce doctorat honorifique. Je ne sais pas s'il est courant qu'une université catholique récompense ainsi un mécréant, mais je reçois cette distinction avec gratitude, car j'ai un attachement profond à la tradition religieuse dans laquelle j'ai grandi, ainsi qu'au caractère subversif du message évangélique. J'ai souvent dit que je n'aurais aucune peine à voter pour un parti politique qui aurait pour programme le Sermon sur la Montagne. Il serait, me semble-t-il, d'un socialisme assez radical.

Je suppose qu'il est de coutume d'adresser aux diplômés qui s'apprêtent à entreprendre leur vie publique un message plein d'optimisme. C'est une chose dont je suis malheureusement incapable, tant je crois que l'époque actuelle se caractérise par un recul désastreux des valeurs humaines et spirituelles.

Le Canada et le Québec, imitant d'ailleurs en cela la plupart des grandes démocraties occidentales, se sont donné les gouvernements les plus à droite depuis deux générations et ces gouvernements font quotidiennement reculer l'idée même de bien commun, aux grands applaudissements des nantis et de leurs éditorialistes de service. Il faut remonter au XIXe siècle pour retrouver pareille progression des inégalités sociales et pareille arrogance des puissances d'argent.

Au même moment, la culture de masse, d'inspiration largement américaine, triomphe partout. La logique du marché favorise la prépondérance du divertissement le plus futile et l'endoctrinement publicitaire ne connaît plus de limites, faisant paraître le prosélytisme religieux d'antan comme du travail d'amateurs. Le rapport à la culture du passé se fragilise et l'époque contemporaine refuse l'idée même d'une hiérarchie des valeurs et des œuvres. Tout est maintenant affaire de préférence individuelle, et comme les goûts ne se discutent pas, l'amnésie, l'hédonisme et le narcissisme sont en passe de coloniser la culture contemporaine.

« L'homme, nous dit Marcel Gauchet, n'existe que dans et par une culture, mais il refuse aujourd'hui l'autorité nécessaire à sa transmission. » C'est, me semble-t-il, le diagnostic le plus terrible qu'on puisse faire sur l'état du monde actuel, car si nous laissons la culture commune péricliter faute de transmission, nous vivrons, dans un avenir prévisible, dans une jungle où ne compteront plus que l'intérêt individuel, la force des puissants et la satisfaction immédiate des appétits les plus violents.

Devant ce constat qu'ils partagent, plusieurs intellectuels de ma génération, voyant reculer les idéaux de leur jeunesse, se sont enfermés dans le confort et l'indifférence, préférant profiter des avantages que leur confère leur statut. Défaitistes, enfermés dans leur tour d'ivoire, ou pire, mettant cyniquement l'épaule à la roue en soutenant activement un ordre qu'ils réprouvaient, ils se consolent en s'enorgueillissant de leur lucidité.

Mais la lucidité n'implique pas nécessairement le fatalisme. Le grand cinéaste Roberto Rossellini, que l'on accusait de faire des films noirs, répondit un jour : « Je ne suis pas pessimiste, car voir le mal là où il se trouve tient à mon avis de l'optimisme. Voir le mal là où il se trouve, comme le faisait Rossellini, c'est le contraire du cynisme, dont l'intelligence désabusée s'arrange plutôt bien de la misère du monde. Voir le mal là où il se trouve, c'est refuser le défaitisme et croire, peut-être naïvement, qu'on peut apporter quelque chose au monde et que l'indignation n'est pas inutile.

À vous qui quittez aujourd'hui le milieu protégé de l'université, je dis : Résistez ! Les valeurs d'humanité auxquelles nous tenons sont aujourd'hui menacées et elles ne vivront que si nous les défendons et que si nous les transmettons.

De tout temps, la jeunesse généreuse s'est portée à la défense des opprimés et des exploités, et je sais que cela n'a pas changé aujourd'hui ; c'est d'ailleurs ma principale raison d'espérer. Mais permettez-moi de vous rappeler un principe qui me semble avoir échappé aux contestataires de ma propre génération. Dans *L'enracinement*, la philosophe Simone Weil écrivait : « Un droit ne saurait exister sans la reconnaissance d'un devoir qui lui correspond. » C'est une évidence qui crève les yeux et pourtant l'idée de devoir a presque disparu du monde contemporain. Ma génération a fait avancer les droits des femmes, des homosexuels, des minorités de toutes sortes et réalisé sur ces fronts des progrès nécessaires, mais elle était allergique à l'idée de devoir et obnubilée par sa propre liberté. Je ne suis pas loin de penser que nous avons été l'avant-garde inconsciente de la droite néolibérale.

Tout est aujourd'hui affaire de droits et de libertés et nombreux sont nos concitoyens qui réclament, par exemple, de meilleurs services en santé et en éducation tout en tâchant par tous les moyens de se soustraire au devoir de payer l'impôt. Pire, une mentalité de client-roi se répand dans nos hôpitaux, dans nos écoles, dans nos rapports avec l'État. Un individualisme malsain se généralise et menace le bien commun.

« La liberté, pour quoi faire ? » écrivait en 1948 Georges Bernanos. Là est toute la question. La liberté est un bien précieux, qu'il faut chérir et défendre, mais si elle ne sert qu'à justifier nos envies, elle nous asservit et nous rend complices d'un ordre injuste et délétère. L'idée de liberté a été détournée et dénaturée par les publicitaires et les gérants de la culture de masse qui s'en servent comme argument de vente. Cette liberté-là n'est plus que révolte sans objet et culte du moi.

Or la liberté, comme l'écrivait Pierre Vadeboncoeur, « ne procède pas nécessairement d'un refus, mais bien plus fondamentalement d'une adhésion ». Il ajoute : « La liberté ne tient pas forcément les principes pour des obstacles, mais au contraire, elle recherche le principe. » Il y aurait donc quelque chose de plus grand que nous, quelque chose qui soit digne de foi, quelque chose qui vaille qu'on y sacrifie son intérêt personnel, quelque chose que notre liberté devrait servir. Qu'on me comprenne bien : je ne propose pas un retour aux obéissances d'antan. Seulement, je crois que la défense des valeurs d'humanité et du patrimoine culturel commun passe par la reconnaissance d'une nécessaire tension entre droits et devoirs, ainsi que par une réflexion sur le sens de la liberté.

Avant de vous quitter, j'aimerais vous faire part d'une autre de mes raisons de ne pas désespérer. Aux dernières nouvelles, le néolibéralisme n'avait pas encore réussi à éradiquer la bonté, et des gestes de générosité gratuits continuent à être perpétrés chaque jour partout sur la planète, par centaines de millions. George Orwell parlait souvent de *common decency*. Le terme se traduit mal en français, mais il désigne une espèce de respect spontané de l'autre, de reconnaissance de sa dignité, de solidarité instinctive, une sorte de pragmatisme des valeurs qui vient de l'expérience commune et qui rend l'expérience commune vivable. La *common decency* n'a pas disparu : des jeunes gens continuent à céder leur place dans l'autobus aux vieilles dames ; il reste encore des comptables honnêtes, des travailleurs qui ont l'amour de « la belle ouvrage » et des citoyens qui ne fraudent pas le fisc ; chaque soir des travailleurs de rue prêtent secours aux naufragés de nos villes et il se trouve même des gens qui, sans réfléchir et au mépris de leur sécurité, vont se jeter dans une rivière glacée pour sauver un inconnu qui se noie.

Dans un monde qui se déshumanise, chaque geste de générosité est un acte de résistance et de liberté. Mais des gestes isolés, même nombreux, s'ils rendent le monde moins insupportable, ne vont pas à la racine du mal. Il reste à leur donner une dimension politique et sociale. Cela s'appelle l'engagement.

DE L'HONNEUR

Revue Relations, *septembre 2009.*

« Nous vaincrons ! » Ces mots ont enflammé ma jeunesse. À 57 ans, après avoir vu reculer pendant toute ma vie les causes de l'indépendance, du socialisme, d'une culture nationale forte et partagée, je sais, au plus profond de mon être, que nous ne vaincrons pas. Mais en même temps, je n'ai jamais été plus convaincu de la nécessité de la résistance.

Nous ne vaincrons pas parce que jamais les dominés, les opprimés, les exploités n'ont autant assimilé les discours et les pratiques des dominants. Nous ne vaincrons pas, parce que chaque jour les solidarités nationales, sociales et familiales reculent au profit d'un hédonisme individualiste irresponsable figé dans le présent et oublieux du passé. En 1973, Pier Paolo Pasolini, dans un article publié dans le *Corriere della sera*, écrivait « qu'aucun centralisme fasciste n'est parvenu à faire ce qu'a fait le centralisme de la société de consommation [1] ». Il suffit, pour s'en convaincre, de regarder la télévision aux heures de grande écoute, de passer un samedi dans un centre d'achats ou de contempler les embouteillages de l'heure de pointe du haut d'un viaduc. L'idée d'une victoire sur « ça » apparaît alors bien improbable.

---

[1] Pier Paolo Pasolini, « Acculturation et acculturation », dans *Écrits corsaires*, Paris, Flammarion, 1976.

Je me rappelle ces vers de Pasolini, encore lui : « Je pleure un monde mort / mais moi qui le pleure, je ne suis pas mort. » Non, nous ne sommes pas morts. « Nous », c'est aussi imprécis que « ça », mais le cœur et l'âme savent très bien de qui et de quoi il s'agit. Nous ne sommes pas morts et nous portons en nous des valeurs et une mémoire sans lesquelles le monde tel que nous le connaissons ne peut pas continuer. Jean-Claude Michéa, dans *L'empire du moindre mal*[1], fait remarquer que la société néolibérale, pour fonctionner correctement, a besoin d'hommes et de femmes qui possèdent des vertus qui préexistent à l'ordre marchand : la générosité, la politesse, le sens de l'honneur. Elle a besoin de caissiers honnêtes, d'ouvriers qui ont l'amour du travail bien fait, de bénévoles dévoués, de citoyens qui ne fraudent pas le fisc.

Le monde ne peut pas continuer sans les vertus qui s'expriment dans une logique du don contraire à l'ordre néolibéral. Chaque geste de générosité, de solidarité, chaque fragile tentative de transmission est un acte de résistance par lequel le monde se poursuit. Dans un ouvrage récent[2], John Berger écrit que le désir de justice ne s'exprime pas seulement dans des mouvements politiques ou sociaux qui visent la victoire, mais qu'ils s'inscrivent aussi dans une multitude de gestes, de rencontres, de sacrifices, de rêves, de souvenirs qui sont transcendants et qui sont l'expression d'une liberté véritable.

La liberté, nous dit Berger, n'existe pas en dehors de l'action et elle est l'expérience d'un désir, non de possession, mais de transformation. Les cyniques, qui sont légion aujourd'hui, voudraient bien nous convaincre du contraire. Dans un monde matérialiste et désenchanté, où les perspectives de changement véritable semblent

---

[1] Jean-Claude Michéa, *L'empire du moindre mal,* Paris, Climats, 2007.
[2] John Berger, *Tiens-les dans tes bras, chroniques de la résistance et de la survie,* Paris, Le temps des cerises, 2009.

sans cesse reculer, il ne sert à rien, disent-ils, de résister. Puisqu'on ne peut pas changer le monde, mieux vaut alors profiter des privilèges que peut nous offrir notre statut social et satisfaire nos désirs dans le confort et l'indifférence.

Il convient ici de rappeler une idée presque désuète : celle d'honneur. Se battre pour la victoire est moins important que de se battre pour l'honneur parce que les raisons pour lesquelles on résiste sont au-dessus de la lutte elle-même ou de son issue. Il ne manque pas dans l'histoire des révolutions de victoires gagnées par la force puis trahies par manque d'honneur.

Ce mot revenait sans cesse sous la plume de Bernanos. « L'honneur, écrivait-il, n'est pas une valeur entre d'autres, pas même une valeur importante, mais la valeur fondamentale. » L'honneur, c'est la dignité morale qui permet à l'homme de dépasser ses intérêts mesquins et de réaliser les aspirations de l'âme. L'honneur, c'est ce qui permet aujourd'hui de résister envers et contre tout et de faire qu'à travers la résistance, ce pour quoi nous luttons continue d'exister.

Nous ne vaincrons pas. Mais il s'agit aujourd'hui de durer, d'empêcher que le désert ne s'étende. Et dans la noirceur contemporaine, il convient de ne pas oublier, comme le dit le cinéaste Béla Tarr, que « nous sommes nombreux à n'être pas nombreux ». Ou alors, avec Michèle Lalonde, dans *Speak white* :

> *... quand vous nous demandez poliment*
> *how do you do*
> *et nous entendez vous répondre*
> *we're doing all right*
> *we're doing fine*
> *We*
> *are not alone*
> *nous savons*
> *que nous ne sommes pas seuls.*

Ce que les gens veulent

Revue Relations, *octobre/novembre 2009.*

Deux événements médiatiques survenus l'été dernier portent à réfléchir, parce qu'ils sont symptomatiques de notre époque trouble. En juin, la vente des Canadiens de Montréal à la famille Molson puis la mort de Michael Jackson ont envahi les médias à un point tel qu'on pouvait se demander s'il se passait autre chose de par le vaste monde. Le dimanche 20 juin, pour ne donner que cet exemple, 15 des 16 pages du premier cahier de *La Presse* portaient sur la vente du club et une – la dernière – sur les manifestations survenues en Iran à la suite de l'élection contestée de Mahmoud Ahmadinejad. La disproportion entre l'importance des deux événements et leur couverture respective ne manque pas d'étonner. Quelques jours plus tard, la mort de Michael Jackson a fait paraître l'épisode des Canadiens comme un exemple de retenue journalistique. Pendant un mois, impossible d'y échapper : la mort du chanteur est devenue la nouvelle la plus importante sur la planète, et même des journaux comme *Le Monde* ou *The Guardian* ont traité la nouvelle en première page. *Le Devoir* a suivi. Et dans les autres médias québécois, particulièrement dans les réseaux d'information continue – y compris celui de la Société Radio-Canada – on a touché le délire pur et simple.

Je suppose que les analystes du monde médiatique peuvent démontrer que ce genre de nouvelles fait grimper les cotes d'écoute ou les tirages. Ce serait « ce que les gens veulent » et on se trouverait donc devant une sorte de fatalité du marché à laquelle on n'a d'autre choix que celui de se soumettre. On touche ici à un mécanisme essentiel de la société contemporaine : la soumission aveugle aux goûts réels ou supposés du public. « Les gens » ne voudraient pas d'élections, ils souhaiteraient la fin des « chicanes » avec Ottawa, et voudraient davantage de chansons en anglais à la radio, plus de films américains, plus d'autoroutes et de ponts pour entrer à Montréal et la baisse des taxes sur l'essence pour faire le plein des 4 × 4 de trois tonnes dont ils rêvent. Pour obtenir un succès politique ou médiatique, il n'y aurait plus qu'à gouverner par sondages ou à établir une programmation ou un choix de nouvelles en fonction des cotes d'écoute ou des tirages.

Il est bien possible que « les gens » veuillent vraiment connaître plus de détails croustillants sur la vie de Michael Jackson, entendre plus de chansons de Céline Dion et qu'ils souhaitent qu'on cesse de les ennuyer avec la politique. Mais se soumettre aveuglément à ces désirs travestit le sens de la politique et du journalisme. Le travail politique comme le travail journalistique doivent, pour avoir un sens, comporter un aspect pédagogique. À ce propos, l'exemple de René Lévesque reste au Québec le plus éclatant. Comme journaliste, puis comme homme politique, René Lévesque éduquait pour convaincre et pour émanciper. Il assumait son rôle et son autorité, dans le plus grand respect de la démocratie. S'il s'était plié à « ce que les gens voulaient » dans les années 1960 et 1970, il n'aurait jamais entrepris ce travail d'explication et de persuasion qui a transformé l'histoire du Québec et a failli nous donner un pays.

Il s'agit ici de responsabilité. Et c'est une responsabilité à laquelle il est impossible d'échapper. En abdiquant devant l'apathie des électeurs comme devant les goûts des lecteurs et des spectateurs, les hommes politiques, les journalistes ou les propriétaires de médias deviennent, de toute façon, responsables de l'indifférence et de l'inculture. Car il y a aussi une pédagogie de la passivité et de l'ignorance. Jean Charest forme des citoyens au désintéressement du bien commun et Pierre-Karl Péladeau éduque des lecteurs et des spectateurs à l'inculture et au mépris du savoir.

On comprend bien qu'un homme politique de droite ou que le propriétaire d'un conglomérat médiatique trouve son intérêt dans une soumission apparente à une volonté populaire qui renforce sa domination. Mais plus à gauche, cette stratégie est suicidaire : le Parti socialiste français et le Labour Party britannique se meurent de s'être pliés à l'air du temps néolibéral depuis 20 ans. Le Parti québécois se perd à force de ne pas vouloir effaroucher l'électorat. De la même façon, la radio et la télévision d'État, en cédant sans états d'âme à la logique des cotes d'écoute et des parts de marché, sont en train de perdre leur raison d'être. L'abolition de la Chaîne culturelle, qui avait éduqué des générations de Québécois à la musique et à la littérature sérieuses, en est l'exemple le plus probant.

En politique, comme dans les médias, il est impossible d'échapper à la responsabilité pédagogique. Il faut choisir : former des citoyens responsables et cultivés ou conforter des consommateurs ignorants et apathiques.

S'EXPRIMER, POUR QUOI FAIRE ?

Revue Relations, *décembre 2009.*

U N JOUR D'AUTOMNE, au marché Jean-Talon. Un peu à l'écart, une jeune femme joue au saxophone une transcription du prélude de la quatrième Suite pour violoncelle de Bach. Je m'arrête, retenu par la sonorité étrange de cette musique familière. Sur un tempo très lent, la musicienne joue avec recueillement cette partition difficile. Il y a quelques petits accrocs, mais le sens et la beauté de l'œuvre sont intacts : malgré l'effort, et peut-être même à cause de lui, on touche par moments au sublime.

Pendant cinq minutes, le monde autour de moi n'existe plus. Ou plutôt non, il existe mieux. Pourtant, cette musique discrète ne s'est pas imposée à moi dans la cohue du marché. Il n'y a ni micros, ni amplificateurs, ni projecteurs, pas même un attroupement : je suis le seul à écouter dans la foule qui passe. Il n'y a que cette jeune femme qui va, avec son instrument, à la rencontre de la musique immortelle de Bach et qui offre, à qui veut bien être attentif, un aperçu de sa beauté.

Les jours suivants, j'ai souvent pensé à cette jeune musicienne, et au chemin qu'elle avait dû parcourir pour jouer comme elle le faisait.

Dans le discours contemporain sur l'enseignement des arts, on revient sans cesse à l'idée de l'expression de soi. Il faudrait de toute urgence pouvoir mettre une caméra, des pinceaux, un instrument de musique entre les mains de chaque jeune personne afin qu'elle puisse *s'exprimer*. Or il me semble que l'essentiel, dans la pratique artistique, n'est pas là. Il me semble bien davantage tenir dans l'idée de rencontre.

Je ne sais après combien d'années de pratique ma jeune musicienne en est arrivée à pouvoir s'approcher ainsi de la partition qu'elle jouait. Mais je suis certain qu'elle ne peut y être arrivée qu'après un long chemin où l'expression de soi est secondaire. Connaître et pratiquer un art, c'est avant tout sortir de soi pour aller à la rencontre de ce qui est autre ; c'est arriver à force de travail et d'étude à pouvoir s'approcher des grandes œuvres et de ce qu'elles portent de sens et d'ouverture au monde. C'est à ce prix qu'on devient capable d'offrir.

On me dira que les arts d'interprétation sont un cas particulier puisque l'artiste doit se mettre au service d'un compositeur ou d'un auteur. Mais qu'en est-il de la littérature, des arts visuels, du cinéma ? Est-ce qu'on n'attend pas d'un romancier ou d'un peintre qu'ils s'expriment ? Sans doute, mais ce qu'ils expriment d'eux-mêmes n'est qu'une partie de ce qu'ils nous offrent. Un romancier, un peintre, un cinéaste qui ne s'abreuverait pas à l'histoire de son art et qui ne serait pas attentif au monde qui l'entoure serait un bien pauvre artiste.

Dans l'art que je pratique, le cinéma (et, par extension, la vidéo), on assiste à une véritable explosion de projets et d'initiatives qui offrent à des jeunes gens la possibilité de s'exprimer. L'accessibilité et la facilité d'utilisation des caméras légères et des outils de montage numérique favorisent sans doute cette floraison. Il est bien plus facile de tourner une image à peu près correcte que de jouer convenablement une phrase de Beethoven au piano. Mais à mon avis, cette facilité masque ce qui est essentiel dans la démarche artistique : le rapport au monde et à l'autre. Ce n'est pas un hasard si, très souvent, les films de ces jeunes gens reproduisent les poncifs de la culture de masse qui leur est destinée. Si on n'a pas favorisé chez eux la connaissance des arts et une culture générale qui leur donneraient un peu de recul face à leur expérience, comment pourrait-il en être autrement ? Finalement, même si les prétentions ne sont pas les mêmes, on n'est pas très loin des films de famille des années 1950 et de leur effet de miroir.

Or, une œuvre d'art est tout sauf un miroir : elle est justement ce qui permet à l'artiste de sortir de lui-même et de porter un regard neuf sur le monde. Et c'est d'ailleurs exactement ce qu'un artiste conséquent propose à son public. C'est en ce sens que le critique George Steiner peut parler de l'art comme rupture et comme rencontre.

« S'exprimer » est au fond secondaire. Lorsqu'un interprète nous soulève par son jeu ou par la lumière nouvelle qu'il jette sur une partition ou un texte connus, ce qu'il tire de lui-même n'est pas plus important que ce qui le dépasse, qu'il découvre et nous transmet. Et même lorsqu'un romancier ou un cinéaste tire de sa propre biographie la matière d'une œuvre, l'œuvre vaut bien davantage par le travail que met l'artiste à dépasser sa propre expérience que par les faits qu'il tire de sa mémoire.

Ce n'est pas un hasard si notre époque individualiste accorde autant d'importance à ce qu'il y a de plus narcissique dans l'art. Les excès du vedettariat en sont probablement une des expressions les plus détestables. Mais il arrive qu'un jour d'automne, dans un marché public, on tombe sur une jeune artiste qui humblement nous convie à une rencontre avec la grandeur de la musique et la beauté du monde.

Vox populi

Revue Relations, *janvier-février 2010.*

IL NE SE PASSE plus une journée sans qu'un journal télévisé ne nous propose l'opinion de « l'homme de la rue » sur tel ou tel sujet d'actualité. Le procédé existe depuis longtemps, mais il me semble qu'on y recourt plus fréquemment qu'avant. C'est sans doute le signe d'une certaine paresse journalistique, une sorte de démission des artisans de l'information devant l'énorme quantité de temps d'antenne exigée par le monstre télévisuel. Évidemment, la question de la représentativité de ces opinions et du sens de leur utilisation dans un bulletin d'information n'est pas sans faire problème, mais ce n'est pas ce qui m'intéresse ici. Ce qui m'inquiète, c'est que, paradoxalement, ce recours de plus en plus fréquent à l'opinion populaire me semble dévaloriser le débat public.

Les « micros-trottoirs » dans les informations télévisées ne sont d'ailleurs que la pointe de l'iceberg. Presque tous les sites Internet d'information proposent à leurs utilisateurs de commenter les informations qu'ils mettent en ligne et la plupart des sites culturels permettent au public d'évaluer les films, les livres, les concerts. Un exemple anodin parmi des milliers : récemment, à propos du scandale montréalais des enveloppes brunes, j'ai pu lire ce commentaire sur le site de Radio-Canada : « Mon père avait raison. Il disait que la politique et les politiciens, c'est tous des pourris. »

Qu'on me comprenne bien : je ne conteste pas à l'auteur de ce commentaire le droit de l'exprimer. En matière de liberté d'expression, le meilleur vient avec le pire et ne va pas sans lui. Ce que je remets en question, c'est la pertinence de publier ce genre de commentaire sur un site d'information supposé sérieux. De la même façon, les « micros-trottoirs » des bulletins télévisés n'y ont pas leur place.

Mais où est le problème ? N'assiste-t-on pas au spectacle de la démocratie en marche ? N'y a-t-il pas là le triomphe d'une parole citoyenne ? Non. Ce à quoi nous assistons, c'est à la juxtaposition d'opinions individuelles, le plus souvent mal informées et mal formulées, chacune valant n'importe quelle autre, c'est-à-dire, au bout du compte, ne valant rien. Mais dans la démocratie de marché, tout est affaire de choix individuel et on ne voit pas, dans cette logique, pourquoi une opinion aurait plus de poids que n'importe quelle autre.

Au moment des élections, qu'un vote vaille n'importe quel autre est une évidence et une nécessité. Mais qu'une pensée puisse valoir n'importe quelle autre m'apparaît comme une perversion dangereuse de la démocratie. Le débat démocratique ne peut exister que si les pensées s'affrontent d'une manière qui permette aux citoyens de juger et de trancher. Or, l'accumulation d'opinions infondées dans un espace qui ne permet ni la critique ni la confrontation, encombre l'espace médiatique et dévalorise le débat public.

Toutes les opinions ne sont pas équivalentes. Cet énoncé en apparence anodin va contre le sens commun de l'époque parce qu'il implique l'idée d'autorité, idée devenue *impensable* à un moment où la liberté des choix individuels est devenue l'horizon indépassable de la réflexion. Dans *Le pouvoir ou la vie*, Jean Bédard rappelle utilement qu'il ne faut pas confondre l'autorité avec la force et que l'autorité est une relation réciproque qui engage l'assentiment d'autrui[1]. La parole d'un professeur, par exemple, peut faire autorité à cause de l'étendue de son savoir ou de la finesse de ses analyses. Elle engage alors les étudiants à se dépasser et à s'élever pour pouvoir, éventuellement, la remettre en question.

Cette idée d'autorité, de ce qui fait autorité, est extrêmement féconde. Car elle permet de critiquer non seulement la juxtaposition des opinions infondées, mais aussi le pouvoir arbitraire des animateurs, des commentateurs et de certains experts qui, dans le contexte médiatique actuel, accaparent toutes les tribunes. Qu'est-ce au juste qui fonde l'autorité de telle ou telle personnalité : la profondeur de sa pensée ou son habileté à se vendre ? L'étendue de ses connaissances ou les rapports incestueux qu'elle entretient avec le sérail médiatique ? La sûreté de son jugement ou son talent de séduction ? Or, certaines personnalités jouissent d'un pouvoir exorbitant, et se comportent d'ailleurs en despotes. Curieux retour des choses : cette société si allergique à tout ce qui peut limiter les libertés individuelles finit par se prosterner devant quelques idoles, dont la parole constitue une véritable *vox dei*.

Pour échapper aux despotismes correspondants de la *vox populi* et de la *vox dei*, nous avons un urgent besoin de réfléchir à ce qui constitue l'espace d'un débat démocratique. Nous n'y arriverons pas sans penser les conditions d'un exercice authentique de l'autorité.

---

[1] Jean Bédard, *Le pouvoir ou la vie*, Montréal, Fides, 2008, p. 28.

IMAGES

Revue Relations, *mars 2010.*

ROME, BASILIQUE Saint-Pierre. En ces jours de décembre, les touristes sont moins nombreux qu'en été, mais les flashes de leurs appareils photo n'en finissent pas moins de fuser. Ils sont des centaines à marcher, les yeux rivés à l'écran de leur caméra, occupés à *ne pas regarder*. Ils posent tour à tour devant la *Pietà* de Michel-Ange, essaient de cadrer le baldaquin de Bernini, cherchent à faire entrer toute cette grandeur dans le petit rectangle de leur viseur.

Qu'arrive-t-il à toutes ces photos ? Signifient-elles quelque chose ? Comme les innombrables graffitis qui, en Italie comme chez nous, recouvrent les murs, ces photos disent une même chose : « J'étais là. » Elles seront montrées aux parents et aux amis comme preuves de l'existence d'un voyage longtemps rêvé et serviront peut-être d'aide-mémoire pour énumérer les événements d'une semaine de vacances.

Mais qu'en est-il de ce qu'elles montrent ? Cette architecture, ces sculptures, ces tableaux, ces mosaïques sont-ils encore *lisibles* ? Peut-on vraiment regarder ce qui s'offre à nos yeux ? Évidemment, il y a la minorité de bons élèves qui consultent leur guide touristique

ou s'arrêtent aux stations fixées par leur audioguide. Mais pour
la majorité des gens (dont je suis), ce qui est donné à voir est en
grande partie indécodable. Nous ne savons plus qui sont ces saints,
ces évêques, ces personnages de la Bible. Le sens de ce que nous
voyons nous fuit.

Il reste qu'il est impossible d'échapper au sentiment de grandeur et de puissance. Pour moi qui ai beaucoup d'affection pour
nos modestes églises de campagne, la visite de Saint-Pierre crée une
sorte de malaise : j'y sens plus l'expression du pouvoir d'une ins-
titution que le témoignage de la foi d'un groupe d'artistes, même
si je sais que Michel-Ange y travailla sans vouloir être payé. Pour
la plupart, les cathédrales gothiques et les églises romanes ne me
font pas cet effet. À Sainte-Marie, dans le Trastevere, j'avais peine à
contenir mon émotion. Mais à Saint-Pierre, c'est comme si j'étais
devant quelque chose qui préfigure la culture actuelle, où l'abondance et la puissance des images finissent par tuer le sens et par
émousser le regard.

Sur la place Saint-Pierre, j'ai l'impression d'être dans une sorte
de vidéo-clip avant la lettre, ou alors à l'intérieur d'un gigan-
tesque message publicitaire à la gloire de l'Église et de sa puissance.
Bramante, Michel-Ange, Bernini étaient comme les Spielberg de
leur époque, des artistes au prodigieux savoir-faire, qui ont mobi-
lisé toutes les ressources techniques de leur temps pour produire
une œuvre qui, quatre siècles plus tard, n'a rien perdu de son pouvoir de stupéfaction. C'est à dessein, évidemment, que j'emploie ce
terme. À Saint-Pierre, nous sommes littéralement écrasés, alors que
les cathédrales gothiques nous tirent vers le haut et que les églises
romanes appellent une sorte de recueillement, de concentration du
regard.

Plus tard, après avoir traversé les chambres de Raphaël et la
chapelle Sixtine, encore sonné par cette richesse, cette abondance,

cette grandeur, dans un recoin de la section d'art moderne du musée du Vatican, je tombe sur quatre petits tableaux de Giorgio Morandi (1890-1964) : deux paysages et deux natures mortes. Les natures mortes, en particulier, m'attirent. Ce sont des tableaux comme Morandi en a peint toute sa vie : il y a, posés sur une table, un vase, une bouteille, des pots, quelques tasses. Les tableaux se déclinent dans un camaïeu de beiges et de gris. Il n'y a pas d'arrière-plan, que ces objets modestes éclairés par une lumière pâle. Ce n'est presque rien. Pourtant, nous sommes ici devant une sorte de miracle : Morandi prend acte du fait qu'il y a justement quelque chose plutôt que rien et il s'en émerveille. Il est tout entier dans cet acte de regarder, cette attention au monde, cette nécessaire humilité devant ce qui nous dépasse. Il y a *quelque chose*, et nous sommes là pour le voir : quel insondable mystère ! Le presque rien des tableaux de Morandi nous ramène au mystère du monde, et je me tiens devant eux comme sous la splendeur d'un ciel étoilé du mois d'août.

Quel paradoxe ! Après toute la magnificence de la basilique et de la chapelle Sixtine, ce sont quatre tableaux modestes d'un peintre humble et reclus qui me donnent le plus le sentiment d'une Présence. Dans un très beau livre consacré au silence de Dieu [1], Sylvie Germain conclut que croire, ce pourrait être écouter le silence. C'est peut-être pour cela que le mécréant que je suis trouverait davantage de raisons de croire devant un tableau de Morandi que devant tous les trésors du Vatican.

---

[1] *Les échos du silence*, Paris, Albin Michel, 2006.

Pierre Vadeboncoeur :

le sens de ce qui importe

Texte lu aux obsèques de Pierre Vadeboncoeur le 15 février 2010 et publié dans la revue Relations, *numéro d'avril-mai 2010.*

En 1945, à l'âge de 25 ans, Pierre Vadeboncoeur publiait dans la revue *La nouvelle relève* un essai intitulé « La joie ». C'était il y a 65 ans. Dans ce texte admirable, le jeune Pierre Vadeboncoeur compare la joie au bonheur : « L'esprit de joie renonce de grand cœur à toutes les choses que l'esprit de bonheur poursuit. Le bonheur est essentiellement égoïste, tandis que la joie est essentiellement généreuse et désintéressée. »

On peut lire, dans ce texte de jeunesse, le programme de toute une vie : on y trouve comme en germe les raisons de son action syndicale et de son engagement politique ; ainsi que son extraordinaire sensibilité à la peinture, à la littérature, à la musique ; et enfin sa spiritualité profonde et libre. Exemplaire, Pierre Vadeboncoeur n'a jamais renié les idéaux de sa jeunesse : toute sa vie, il les a pratiqués, dans son activité militante comme dans son travail d'écrivain.

Pierre Vadeboncoeur n'a jamais perdu le sens de ce qui importe : au cœur de son travail, de sa pensée, se trouve l'idée de jugement,

si malmenée dans un monde dominé par le relativisme, l'indiffé-
renciation et le cynisme. Toutes les choses, toutes les pensées ne
se valent pas, ce qui implique qu'il faut choisir, et qu'il faut reconnaître une hiérarchie des valeurs, des idées, des actions. Sans cette
hiérarchie, comment affirmer que la justice vaut mieux que l'oppression, que la solidarité est supérieure à l'égoïsme, ou que Bach
est plus grand que le dernier tube de Musique Plus ?

Dans *L'humanité improvisée*, sans doute la plus lucide critique du postmodernisme qui ait été écrite au Québec, Pierre
Vadeboncoeur oppose licence et liberté et écrit que « la liberté
ne procède pas nécessairement d'un refus, mais bien plus fondamentalement d'une adhésion » et « qu'elle ne tient pas forcément les
principes pour des obstacles, mais qu'au contraire, elle recherche le
principe ». Il y aurait donc quelque chose de plus grand que nous,
quelque chose qui soit digne de foi, quelque chose qui vaille qu'on
y sacrifie son intérêt personnel. Ce quelque chose crève les yeux,
tombe sous le sens, mais tout, dans le monde contemporain, fait
que nous nous en détournons.

Dans ses deux derniers livres, *Essais sur la croyance et l'incroyance* et *La clef de voûte*, Pierre Vadeboncoeur essaie de s'approcher de ce *quelque chose*. Ces livres sont troublants parce qu'au-delà
des principes humains qui pourraient servir à orienter l'action,
Pierre Vadeboncoeur sent une Présence, un Être. Devant la néga-
tion qu'est l'athéisme, il tient à préserver le mystère du monde.
Dans *La clef de voûte*, il écrit :

> Ma raison raisonnante, tout à fait sceptique, ne concède rien et néan-
> moins, par en-dessous, se maintient en moi tout naturellement une
> espèce de confession innée grâce à laquelle, sans difficulté aucune, je
> reste comme en rapport avec un être personnel que je ne nomme pas,
> mais qui habite je ne sais comment ma conscience d'une manière aussi
> constante que l'est celle-ci même. Je suis en effet profondément fidèle

à Cela qui est en moi. C'est ainsi. Cette Réalité fait partie de ma vie et je ne puis m'en abstraire plus que de celle-ci. J'ai le sentiment de n'être pas seul.

C'est peut-être pour cela que le jeune Pierre Vadeboncoeur avait pu écrire : « La joie est adéquate et ne laisse point l'âme insatisfaite de l'univers. La mort même, qui pose le problème le plus aigu de l'ordre du bonheur, n'en pose aucun dans l'ordre de la joie. »

En quittant son chevet, la veille de son décès, alors qu'il ne faisait plus de doute qu'il allait mourir, j'ai éprouvé, étrangement, une sorte de sérénité. Je quittais un homme qui a donné sa pleine mesure, dans son action et ses écrits. Comment imaginer vie plus utile, mieux remplie, plus belle ?

Croyants comme non-croyants, je pense que nous devons rendre grâce pour la vie de Pierre Vadeboncoeur. Cet homme, il faut que nous le méritions, et nous le mériterons par notre travail, en défendant ces principes auxquels il adhérait : la liberté, la justice, la solidarité, la pérennité de la culture et des traditions. Il ne faut pas que la source se tarisse.

ÉTAT DES LIEUX

Revue Relations, *juin 2010.*

Dᴵᴱᵁ, ᴅᴵᵀ ʟ'ᴇ́ᴄʀᴵᴠᴀᴵɴ israélien Aharon Applefeld, habite à la campagne. En ville, l'homme est partout face à lui-même et à ce qu'il a construit. En ville, l'homme peut se croire au centre du monde. Il n'y a pas de donné. Or, c'est dans la nature que ce qui est donné se manifeste avec le plus d'éclat, et que l'action de grâce devient un besoin de l'âme.

Je me faisais ces réflexions en rentrant d'une semaine à ma cabane dans le bois, une sorte de tente en dur sans électricité ni eau courante où je me réfugie de temps en temps dans un silence que rien ne trouble. Comme toujours, le retour en ville est pénible, mais cette fois, peut-être parce que la lumière de mars est impitoyable, je suis frappé par la laideur extraordinaire de l'occupation du territoire au Québec.

La route 117 et l'autoroute 15 traversent une sorte de musée des horreurs de l'aménagement. Sur près de 300 kilomètres, de la sortie du parc de La Vérendrye jusqu'à l'autoroute métropolitaine de Montréal, tout ce qui n'est pas la nature est uniformément laid. Il y a la laideur brute des cimetières de voitures ou des installations industrielles, la laideur kitsch des Rois de la Patate, des motels sur le déclin ou des bars à danseuses, la laideur prétentieuse des stations de ski, de leurs condos et de leurs commerces, la laideur chaotique des villages où les maisons patrimoniales défigurées par les rénovations voisinent avec des bâtiments sans grâce qui semblent être tombés là par hasard. Puis on arrive à l'interminable banlieue de Montréal, à ses centres commerciaux et à ses autoroutes tentaculaires. Le territoire est quadrillé, massacré, dévasté.

J'ai parfois entendu dire qu'au Québec, cette laideur est une conséquence de notre pauvreté. On en donne pour preuve les villages loyalistes prospères de l'Estrie, où se manifeste une certaine harmonie de la nature et de l'architecture. Cette explication est une absurdité, d'abord parce que le Québec n'est plus une société pauvre, et ensuite parce que la pauvreté n'engendre pas forcément la laideur. La peintre montréalaise Jori Smith, qui a vécu dans le comté de Charlevoix pendant les années 1930, s'émerveillait de la beauté austère des intérieurs paysans. Elle écrit : « Je me souviens bien du plaisir que j'ai ressenti quand je suis entrée pour la première fois dans un de ces intérieurs. Que ces gens simples et sans instruction puissent avoir un goût aussi parfait dans leurs objets décoratifs fut une révélation pour moi, d'autant plus que leurs ressources matérielles étaient extrêmement limitées[1]. »

Il en allait de même pour le bâti et l'aménagement du territoire. Dans le centre de quelques villages qui ont échappé au massacre, comme Saint-Vallier-de-Bellechasse ou Kamouraska, on peut encore voir une harmonie apaisante de l'architecture et de l'environnement.

Jori Smith, qui a continué de visiter Charlevoix jusqu'aux années 1970, a été témoin des changements profonds qui ont bouleversé la campagne québécoise. Elle écrit : « Avec la prospérité, [...]

---

[1] Jori Smith, *Charlevoix County, 1930*, Montréal, Penumbra Press, 1998, p. 18 (ma traduction).

en moins d'une décennie, plusieurs de ces traditions culturelles, dans leur beauté et leur simplicité, ont péri sous les assauts de la radio, de la télévision, et de l'automobile, et furent remplacées par un goût pour tout ce qu'il y a de pire dans l'esthétique contemporaine. » Dans les régions rurales, beaucoup de gens âgés ont vécu ce passage comme une libération : en sortant de la pauvreté, leur premier mouvement a été de se défaire de leurs « vieilleries », pour accéder au confort et à la modernité. Cela se comprend, mais force est de constater que dans cette rupture quelque chose d'essentiel s'est perdu.

Le romancier américain Don de Lillo a écrit quelque part : « Le capitalisme consume (détruit) les nuances dans une culture[1]. » Et effectivement les nuances, les subtilités des rapports entre les habitants d'un lieu et leur environnement se sont perdues : il ne reste souvent qu'un rapport purement utilitaire à l'espace et une esthétique du déracinement, de la coupure, où la culture du passé disparaît du paysage et du bâti. Les banlieues nouvelles, où des maisons démesurées déploient leurs façades de fausse pierre, leurs colonnades arrogantes et leurs toits « cathédrale » sur des rues identiques, sont tout autant une manifestation de notre aliénation que de notre prospérité.

Et pourtant, nous savons ce que sont une architecture et un paysage humains. Chaque année, des multitudes de touristes envahissent des endroits qui ont préservé un équilibre entre la nature, la culture et l'histoire, au point où ces lieux, trop souvent devenus représentation marchande d'eux-mêmes ou de ce qu'ils ont été, perdent leur réalité et leur vérité. Il n'en demeure pas moins que, sur ces places de la vieille Europe ou dans ces villages québécois qui ont préservé leur âme, nous sentons une harmonie profonde et

---

[1] Ma traduction de : « *Capitalism burns off nuance in a culture.* »

nous savons que notre humanité peut s'inscrire dans un paysage sans le nier et sans se nier elle-même. Cela devrait susciter en nous le sentiment d'une nécessaire continuité, fait de respect pour ce qui nous a été transmis et d'un sens du devoir à l'égard de ceux qui nous suivront.

LE RÉEL

Revue Relations, *juillet-août 2010.*

L E RÉEL EXISTE. Malgré tout ce qu'on dira de la déréalisation du monde, de la puissance des médias, du poids écrasant de la culture de masse, du déluge d'images mensongères auquel nous sommes quotidiennement soumis, de la cacophonie ininterrompue qui nous accompagne et rend l'acte de pensée de plus en plus difficile et précaire, le réel existe. Il continue d'exister malgré tout.

Nous vivons pourtant dans un des pays du monde où le réel est le plus difficile à voir. Les enfants faméliques, les réfugiés entassés dans des camps et les cadavres des victimes d'attentats-suicides que l'on voit aux informations télévisées n'ont pas de réalité. Les naufragés de nos villes qui mendient dans les rues n'ont pas de réalité. La minorisation de notre nation, la déculturation progressive de notre peuple et sa mort annoncée n'ont pas de réalité.

Ce qui est réel, c'est ce dont on parle à *Tout le monde en parle* ; c'est la vie des gens riches et célèbres, des sportifs, des vedettes, des gens d'affaires ; ce sont leurs maisons, leurs bateaux, leurs vacances, leurs amours, leur argent ; ce qui est réel, ce sont les chances qu'ont les Canadiens de remporter la coupe Stanley, les succès du Cirque du Soleil « qui nous représente si bien à l'étranger » et l'admiration universelle dont jouit Céline Dion ; ce qui est réel, c'est que le Canada, notre pays, « jouit d'une réputation internationale enviable » et que nos soldats « remplissent une mission humanitaire en Afghanistan ».

Alors les enfants affamés, les réfugiés, les sans-abri, les cadavres déchiquetés n'existent pas. Il faut qu'ils n'existent pas si nous voulons pouvoir croire que nous sommes encore humains.

Mais il arrive pourtant que, malgré les injonctions des *spin doctors* et l'ingéniosité des publicitaires, malgré le conditionnement de la société du spectacle, malgré l'anesthésie de la consommation à outrance, malgré le rire obligatoire, malgré les drogues, les calmants et l'alcool que nous consommons pour le tenir à distance, un peu de réel réussisse à surnager.

Et ça fait mal. Le regard des naufragés fait mal. L'arrogance des puissants fait mal. L'insondable stupidité des médias de masse fait mal. Notre responsabilité, par-dessus tout notre responsabilité personnelle, fait mal. Nous avons les mains sales, nous savons que nos fonds de pension se construisent sur la mise à sac de la planète et la détresse des chômeurs, et ça fait mal. Nous savons que notre indifférence et notre veulerie sont la source du marasme politique dont nous feignons de nous plaindre et ça fait mal. Mais cette douleur est notre chance et notre espoir ; c'est en elle que subsiste un peu de notre humanité ; c'est à partir d'elle que pourra se construire notre refus.

Le refus est nécessaire : il n'y a pas d'histoire sans refus. Sans refus, le Québec se serait fondu depuis longtemps dans l'Amérique anglo-saxonne ; sans refus, le vote des femmes, l'éducation gratuite et obligatoire, les normes de santé et de sécurité au travail n'auraient jamais vu le jour. Sans refus, il y aurait encore des enfants dans les mines et on vendrait des hommes et des femmes sur la place publique.

Et ne me parlez pas du nécessaire consensus, de l'obligation d'être rassembleur et de ne pas effaroucher les électeurs du centre ; ne me parlez pas de relations publiques et de stratégie de marketing. Il faut dire non. Il faut dire non parce que le réel existe. Il faut dire non d'abord, il faut dire non tout de suite. Ce non initial est la condition de tout le reste.

Mais peut-être fermerons-nous encore les yeux. Peut-être nous laisserons-nous encore bercer par le ronronnement de nos téléviseurs ; peut-être croirons-nous que le monde virtuel que nous habitons de plus en plus a autant de réalité que celui dont nous venons ; peut-être nous convaincrons-nous que tout va bien, que tout est pour le mieux dans le meilleur des mondes et que de toute manière nous ne pouvons rien changer.

Mais le réel se chargera de se rappeler à nous. Les crises annoncées du pétrole et de l'eau, les bouleversements écologiques et les mouvements massifs de populations qui en résulteront, la compétition belliqueuse entre les États pour des ressources de plus en plus rares vont nous rappeler que le réel existe. La marginalisation de notre culture commune, la dissolution des liens sociaux et les incivilités qui en résulteront vont nous rappeler que le réel existe. Et ça fera mal.

Et cette douleur sera notre chance et notre espoir.

PRIÈRE D'UN MÉCRÉANT

Texte lu à l'émission Vous êtes ici *à la première chaîne de la SRC, le 18 février 2008.*

MON DIEU, si Vous existez, pardonnez-moi d'être un mécréant et acceptez que je rende grâce de votre silence. Votre silence devant les meurtres d'innocents, devant les famines, devant les viols, devant les camps de concentration est une chose terrible, mais c'est en même temps la condition de notre liberté, et avec elle, de notre responsabilité.

Malgré les limites de notre milieu, de notre éducation et de notre hérédité, nous sommes tous libres et responsables de choisir entre le Bien et le Mal. Mon Dieu, Vous ne ferez rien pour nous sauver de nous-mêmes et il n'en tient qu'à nous de faire ou non de cette terre un enfer.

Dans les temps terribles que nous traversons, il importe de se rappeler cette vérité élémentaire, qu'énonçait la philosophe Simone Weil : « Un droit ne saurait exister sans la reconnaissance d'un devoir qui lui correspond. »

Le droit à un environnement sain ne peut exister sans le devoir correspondant de nous défaire, par exemple, de nos 4x4 et de bien d'autres choses encore. Le droit à une éducation de qualité et à des soins de santé gratuits ne peut exister sans le devoir de payer nos impôts et de nous soucier du bien commun. Le droit à la culture ne peut exister sans le devoir de transmettre aux générations futures, et en particulier à celle qui nous suit, un lien solide avec le passé. Le droit au travail ne peut exister sans le devoir de ne pas soutenir par nos investissements des entreprises qui licencient en masse leurs employés au bénéfice de leurs dirigeants et de nos fonds de pension.

Il n'est pas nécessaire de croire en Dieu pour reconnaître l'existence du péché. Aujourd'hui, dans le monde, des dizaines de milliers de personnes sont mortes de faim ou des conséquences de la guerre. Sommes-nous bien certains de n'avoir aucune responsabilité devant ces désastres ? Sommes-nous bien certains que notre confort ne se bâtit pas sur la détresse des chômeurs et la misère des affamés ? Un proverbe arabe dit : ne crois pas que tu es un homme juste si quelqu'un, quelque part, a soif.

Devant les horreurs du monde, mon Dieu, Vous vous taisez. Si Vous existez, prier pour Vous demander quelque chose ne servira à rien puisque Vous ne ferez rien pour nous que Vous n'ayez déjà fait. C'est pourquoi la seule prière possible en est une d'action de grâce.

Alors mon Dieu, merci pour la vie, merci pour la beauté, merci pour cette planète merveilleuse et fragile, merci pour votre silence, merci pour la liberté et pour la responsabilité. Et si Vous n'existez pas, il nous reste quand même la vie, la beauté, la planète merveilleuse et fragile, la liberté et la responsabilité. Ainsi que le silence.

La spiritualité,
avec ou sans Dieu ?

*Conférence prononcée au Centre culturel chrétien de Montréal
le 21 janvier 2010.*

J'ai accepté cette invitation sans trop réfléchir, parce que le sujet m'intéressait. Mais j'avoue éprouver un malaise au moment de préciser, comme on m'y invite, ma compréhension personnelle de la spiritualité. Dans les sociétés occidentales, on assiste depuis 50 ans à un effondrement du christianisme en tant que référent culturel central. Et comme la culture a horreur du vide, on assiste au surgissement d'un véritable marché des croyances. Les individus, supposément libérés de tout, choisissent maintenant leurs croyances comme ils se composaient autrefois un menu au restaurant : un peu de bouddhisme, une touche de réincarnation et de yoga, un peu d'astrologie et, pourquoi pas, la messe de minuit. J'éprouve un malaise profond devant cette prolifération des croyances, et je ne me sens pas très à l'aise au moment de parler de mes croyances ou de ma spiritualité. Au fond, devant une assemblée probablement composée d'une majorité de croyants – où il y a même un évêque –, je me sens aussi mal à l'aise que si

on m'avait demandé de donner mon avis sur les maladies corona-
riennes devant une assemblée de cardiologues. Mais je me lance
quand même.

Il y a quelques mois, un journaliste pressé m'a décrit comme
un athée. Je me suis empressé de répondre dans son journal que
je n'étais pas athée, mais agnostique, et que je préférais me tenir
coi devant le mystère du monde. Je crois que les athées, autant que
les croyants qui se croient en possession tranquille d'une vérité
révélée dont ils auraient la clé, je crois que ces gens-là rapetissent le
monde. Je sens que le monde est plus vaste et plus mystérieux que
tout ce que les hommes pourraient imaginer. Je pense que rien ne
peut épuiser le mystère du monde, pas plus notre raison que nos
croyances.

Il y a, paraît-il, une approche théologique fondée sur l'in-
connaissabilité de Dieu, l'approche apophatique. Je suppose que,
jusqu'à ce que j'apprenne récemment l'existence du mot, j'étais
un apophatiste sans le savoir. Mais si Dieu existe, comment ne
pas être frappé par son silence ? Son silence devant les massacres,
les famines, les camps de concentration et les enfants torturés. Je
sais bien que pour les croyants, ce silence est la condition de notre
liberté, et que cette liberté de choisir entre le bien et le mal est
justement ce qui nous rend humains. Et je sais aussi que pour
les croyants, Dieu éclate dans sa création et sa révélation. Mais
pour moi, son silence est un mystère impénétrable. L'écrivaine
Sylvie Germain, dans un très beau livre qui s'intitule *Les échos
du silence*, où elle parle justement du silence de Dieu, écrit que
croire, ce pourrait être écouter le silence. Je serais assez d'accord
avec cette croyance. De la même façon, j'ai l'impression d'être plus
près du mystère de l'existence devant un tableau de Morandi que
sous le plafond de la chapelle Sixtine. Georgio Morandi, vous le
savez, c'est ce peintre italien solitaire, reclus, qui a passé toute sa
vie à peindre les mêmes objets. Quelques tasses, des bouteilles, des

vases… Ses tableaux austères et simples sont une sorte de miracle. Ils ne montrent presque rien, mais ils sont d'une beauté poignante et, devant eux, nous sommes amenés à nous demander : pourquoi y a-t-il quelque chose plutôt que rien ? Pourquoi cette tasse-ci ? Pourquoi ce vase ? Pourquoi cette lumière ? Comme je suis apophatiste, je suis porté à répondre : je ne sais pas… tout en éprouvant une profonde gratitude devant le fait d'être là et de regarder cela. Morandi nous révèle le mystère du regard.

Il est difficile de ne pas éprouver devant le spectacle d'un ciel étoilé au mois d'août, ou en écoutant une cantate de Bach, le sentiment d'une Présence. Le sentiment d'une Présence, en tout cas de quelque chose qui nous dépasse. Que ce sentiment vienne d'une présence réelle ou soit une création de notre esprit émerveillé devant la grandeur du monde, il est précieux. Il est précieux parce qu'il nous rend attentifs au monde et nous donne l'intuition de notre place dans l'univers, une place qui n'est pas centrale et qui est toute petite. Ce sentiment nous invite à sortir de nous-mêmes et à aller vers ce qui est autre. Mettez une majuscule à autre si vous voulez.

Sortir de soi, c'est une définition littérale de l'extase. Je pense profondément qu'on doit s'extasier devant le monde, devant sa beauté, devant sa douleur et devant son mystère. Je pense aussi que dans un monde qui nous ramène sans cesse à nous-mêmes, par la télévision, la publicité, qui nous ramène sans cesse à nous-mêmes, à nos désirs, à nos préférences, il faut sortir de soi. S'extasier, aller vers ce qui est autre, aller vers les autres.

J'atteins ici une sorte de limite. Je ne peux pas dire beaucoup plus… J'écoute le silence, je regarde la lumière, j'essaie d'être attentif au monde. Je crois bien que ça fait le tour de ma spiritualité.

De toute manière, la conception qu'un individu peut se faire de sa propre spiritualité ne me semble pas avoir une grande importance. Vous aurez bien la spiritualité que vous voulez, croyez au grand Manitou, à Zeus ou au Grand Soir si ça vous chante, pour moi, c'est le résultat qui compte. Il y a eu de grands chrétiens qui ont fait des horreurs. Je n'ai pas besoin de vous rappeler l'Inquisition, la guerre civile espagnole ou, plus près de nous, ce qui a pu se passer dans les sacristies ou les orphelinats. Je n'ai pas besoin de vous rappeler ce que les fondamentalistes en tous genres – chrétiens, juifs, musulmans – font au nom de leur religion... ni que des non-croyants ont pu donner leur vie pour les autres. Quand je dis « c'est le résultat qui compte », je suis sérieux. Au fond, pour moi, c'est la question de l'éthique qui est centrale. Et ce qu'il peut y avoir au-dessous ou au-dessus m'apparaît comme une sorte de décoration.

Dans mon dernier film, le personnage principal, Jeanne, demande au vieux médecin qu'elle va remplacer s'il croit en Dieu. Après avoir hésité longtemps, le vieux docteur répond : « Moi, je crois une chose : je crois qu'il faut servir. » Je ne me suis jamais exprimé plus clairement à travers la voix d'un de mes personnages. Il faut servir. Voilà ma croyance la plus profonde. Mais j'ai quand même passé six ans de ma vie à écrire et à réaliser une trilogie sur les vertus théologales et à creuser le patrimoine chrétien. Je ne crois pas qu'il y ait un autre cinéaste québécois, à part peut-être l'abbé Proulx, qui ait tourné autant de scènes dans des églises. Cela doit faire de moi un non-croyant d'un genre assez particulier. J'ai beau dire par boutade que ce qu'il y a au-dessus ou au-dessous de l'éthique m'apparaît comme une sorte de décoration, je suis profondément attaché à cette décoration-là.

Il y a plusieurs années, j'ai fait un film sur Saint-Denis-de-Kamouraska où un anthropologue américain, Horace Miner, avait passé une année dans les années 1930 à écrire un très beau livre. J'ai retrouvé la femme de l'anthropologue – M. Miner était déjà mort – et madame Miner, que j'ai ramenée à Saint-Denis après 60 ans, m'a demandé de revoir la basilique de Sainte-Anne-de-Beaupré qu'elle n'avait pas vue depuis son séjour à Saint-Denis dans les années 1930. Alors, moi qui ne l'avais pas vue depuis l'enfance, j'y suis allé avec elle et en entrant dans l'église, j'ai été frappé, j'ai eu une espèce de choc de la reconnaissance. Choc devant la beauté, la grandeur et le kitsch. Je me rappelle avoir dit à madame Miner : « Madame Miner, voici les rituels de ma tribu. » Et effectivement, je me sens absolument chez moi dans une église, près du centre symbolique de la culture canadienne-française. Je tiens à ce patrimoine et je sais son importance. Grâce à lui, un petit peuple de paysans a gardé sa langue et un lien avec les grandes cultures européennes et un patrimoine deux fois millénaire. Je suis attaché à ce patrimoine pour d'autres raisons : à cause de sa beauté, de sa profondeur et aussi parce que j'y vois un ensemble de métaphores qui peuvent servir à orienter une vie vers le bien. J'ai une affection particulière pour le Sermon sur la Montagne et je voterais demain matin pour un parti politique qui en ferait la base de son programme. Je crois qu'il serait d'un socialisme assez radical.

Avant de devenir cinéaste, j'ai pendant dix ans étudié puis enseigné l'anthropologie et j'en ai gardé une certitude, celle de la nécessité des traditions, y compris les traditions religieuses et spirituelles. J'ai vécu quelques années chez les Inuits et j'ai vu les ravages que peut faire la déculturation. Devant ce qui se passe aujourd'hui au Québec et dans la plupart des sociétés occidentales, je suis extrêmement inquiet. Pour moi, la tradition et sa transmission sont une nécessité. Il y a une sorte de continuité du sens qui me semble essentielle à une vie riche.

Tchekhov, qui n'est pas loin d'être mon auteur préféré, a écrit un récit extraordinaire sur ce sujet. Le récit s'intitule « L'étudiant », et c'était, paraît-il, son préféré. Vous me permettrez d'en lire quelques passages. Dans ce récit, le héros, Ivan Velikopolski, est un étudiant en théologie. Il revient de la chasse et il rentre chez lui par une belle journée de printemps. Et soudain, tout se couvre. Il se met à faire froid. Tchekhov écrit : « Les flaques se couvrirent d'aiguilles de glace et la forêt devint inhospitalière, sourde et déserte. Il monta une tempête d'hiver. » Des pensées noires se mettent à envahir l'esprit du jeune homme. Tchekhov poursuit :

> Maintenant, tout recroquevillé de froid, il songeait que le même vent soufflait à l'époque d'Ivan le Terrible et de Pierre le Grand. Et qu'à leur époque sévissaient une pauvreté et une faim aussi féroces, les mêmes toits de chaume crevés, les mêmes ignorances, la même angoisse, le même désert à l'entour, les mêmes ténèbres, le même sentiment d'oppression. Toutes ces horreurs avaient existé, existaient et existeraient et que dans mille années la vie ne serait pas devenue meilleure. Et il n'avait pas envie de rentrer.

L'étudiant se réfugie pour se réchauffer chez Vassilissa, une vieille paysanne de sa connaissance. Après un moment, il dit à la vieille femme : « Par une nuit aussi froide, l'apôtre Pierre était venu comme moi se réchauffer près d'un feu. » C'est la nuit du jardin des Oliviers. Et l'étudiant se met à raconter l'histoire du reniement de saint Pierre jusqu'au moment où le coq chante, où Pierre réalise sa faute et se met à pleurer. L'étudiant raconte si bien que la vieille paysanne se met elle aussi à pleurer.

Après un moment, l'étudiant salue la vieille femme et s'en va. Plus tard, en chemin, il pense à elle. Tchekhov écrit :

> Maintenant, l'étudiant pensait à Vassilissa. Il se disait que si Vassilissa avait pleuré et que si sa fille s'était montrée troublée, c'était évidemment que ce qu'il venait de raconter, qui s'était passé 19 siècles plus tôt, avait un rapport avec le présent, avec les deux femmes et sans doute avec ce village isolé, avec lui-même et avec toute l'humanité. Si la vieille femme avait pleuré, ce n'était pas parce qu'il avait l'art de faire vibrer par ses récits la corde sensible, mais parce que Pierre lui était proche et que de tout son être elle était intéressée à ce qui s'était passé dans son âme. Et une vague de joie déferla soudain dans

l'âme de l'étudiant. Il s'arrêta même une minute pour reprendre sa respiration. Le passé, pensait-il, est lié au présent par une chaîne ininterrompue d'événements qui découlent les uns des autres. Et il lui semblait qu'il venait d'apercevoir les deux bouts de la chaîne. Il avait touché l'un et l'autre avait vibré. Tandis qu'il franchissait la rivière par le bac et qu'il gravissait la colline, les yeux fixés sur son village natal, sur le couchant où une main sur le bord du gouffre jetait des lueurs froides, il pensait que la vérité et la beauté qui régissaient la vie des hommes là-bas, au jardin des Oliviers et dans la cour du grand prêtre, s'étaient perpétuées sans interruption jusqu'à ce jour et apparemment constituaient toujours l'essentiel de la vie humaine et, d'une manière générale, sur la Terre. Un sentiment de jeunesse, de santé, de force – il n'avait que 22 ans –, l'attente inévitablement douce du bonheur, d'un bonheur inconnu, mystérieux, l'envahirent peu à peu et la vie lui parut enivrante, merveilleuse, pleine d'une haute signification.

Tchekhov, comme moi, n'était pas croyant. Pourtant, et son récit le confirme, il était attaché aux croyances de son peuple, à cause de leur beauté, de leur sens et de la continuité qu'elles incarnent. Je me sens très proche de cette position. Je sais ce qu'elle a de paradoxal.

On me demande de conclure au regard du thème de la soirée, « Avec ou sans Dieu ». J'avoue que j'en suis bien incapable. Mais je sens qu'une vie vécue sans le sentiment de quelque chose qui nous dépasse, de quelque chose de plus grand que nous, serait une vie plus pauvre. Ce quelque chose de plus grand peut se trouver dans les valeurs humaines, la solidarité, la générosité, la justice. On peut trouver que ces valeurs sont dignes de foi et qu'il vaut la peine de s'engager et même de donner sa vie pour elles.

Avec ou sans Dieu ? Franchement, je ne sais pas. Mais certainement, avec la plus grande attention possible devant le mystère, la douleur et la beauté du monde. De cela, je suis certain. C'est ce que je crois.

La colère

Texte publié dans Le Devoir *le 3 octobre 2009 à l'occasion de la mort de Pierre Falardeau.*

POUR COMPRENDRE la colère de Pierre Falardeau, il convient de se rappeler que les peuples ne meurent pas deux fois. La première fois est la bonne.

Déjà un million des nôtres ont été avalés par l'Amérique au siècle dernier. Il en reste des traces dans les villes et villages de la Nouvelle-Angleterre : un nom de rue, l'enseigne d'un commerce, une église. Ou alors, dans une équipe de baseball ou au générique de fin d'un film d'Hollywood, un Tom Maynard, une Janet Trimble.

Nous sommes un petit peuple, une petite nation, une petite culture ; nous sommes, au fond, si peu au regard de l'histoire du monde. Mais allez dire à un mourant qu'il est bien peu de choses. « La mort d'un peuple, c'est aussi la mort de quelqu'un », disait Miron.

Une culture qui meurt, c'est un univers qui disparaît. Non, nous n'avons produit ni Dante, ni Shakespeare, ni Balzac. Nous sommes un petit peuple de paysans montés en ville. Et pourtant il y a Miron, il y a Gilles Groulx, Gérald Godin, Pierre Perrault. Une sorte de miracle. Mais les livres n'existent que si on les lit, et les films, que si on les regarde.

Pour comprendre la colère de Pierre Falardeau, il faut se rappeler qu'un peuple peut survivre à des siècles de défaites et d'oppression, mais qu'il ne peut pas survivre à sa propre indifférence.

Ainsi, nos ancêtres auraient peiné sur des terres de misère pour rien ? Ils auraient enduré ce qu'ils ont enduré dans les chantiers des autres, dans les usines des autres, pendant tout ce temps, pour que leurs descendants se laissent couler en riant, peuple à genoux devant les amuseurs de la télévision ?

Pierre Falardeau aimait citer Pasolini : « Je suis profondément convaincu que le vrai fascisme est ce que les sociologues ont gentiment nommé "la société de consommation", définition qui paraît inoffensive et purement indicative. Il n'en est rien. La télévision est au moins aussi répugnante que les camps d'extermination. »

Nous ne sommes même pas résignés. La résignation implique au moins qu'on reconnaisse le mal. Ce que nous vivons est pire.

Pour comprendre la colère de Pierre Falardeau, il faut se rappeler avec lui cette phrase de Bernanos : « La liberté n'est pas un droit, mais une charge, un devoir. »

En grande partie, l'élite de notre génération a été lamentable. Elle a tant reçu et si peu donné, embusquée derrière ses privilèges, ses droits acquis, son confort et ses REER, plus à l'aise à Paris qu'à Val-d'Or ou que dans Hochelaga. À tous ces anciens gauchistes, libérés jusqu'à plus soif, revenus de tout, nostalgiques des manifs de leur jeunesse, mais devenus notables, patrons de médias, éditorialistes au service des puissants, il faudrait rappeler une petite phrase de Chris Giannou, médecin de guerre canadien qui a travaillé avec les Palestiniens, à qui on demandait comment il se faisait qu'il avait conservé les idéaux de sa jeunesse. Il répondit : « C'est à ceux qui ne les ont pas gardés qu'il faut poser la question. »

Pasolini, encore : « Il se peut que des lecteurs trouvent que je dis des banalités. Mais qui est scandalisé est toujours banal. Et moi, malheureusement, je suis scandalisé. »

Ceux qui ont connu Pierre Falardeau savent que c'était un tendre, un timide, un homme attentif, curieux des autres, qui savait, qui aimait écouter. Un lecteur pénétrant aussi. De La Boétie à Aragon, les citations dont il émaillait ses textes feraient une magnifique anthologie de la liberté, de la responsabilité et de la résistance.

Mais voilà : le doux prenait ces textes au sérieux. Il savait ce qu'il y a de réalité dans ces phrases de Frantz Fanon, d'Aimé Césaire, de George Orwell, de Pablo Neruda. Derrière les mots, il y avait la vie des hommes, leur malheur et leur espoir. On ne joue pas avec ces vérités-là.

Alors il s'est battu, le dos au mur. Il savait que le temps lui était compté, comme il est peut-être compté à notre peuple. C'était un homme.

TABLE

Filmographie de Bernard Émond

Longs métrages de fiction
(scénario et réalisation)

- *Tout ce que tu possèdes* (en préparation)
- *La donation*, 2009
- *Contre toute espérance*, 2007
- *La neuvaine*, 2005
- *20 h 17, rue Darling*, 2003
- *La femme qui boit*, 2001

Principaux documentaires

- *Le temps et le lieu*, 2000
- *L'épreuve du feu*, 1997
- *La terre des autres*, 1995
- *L'instant et la patience*, 1994
- *Ceux qui ont le pas léger meurent sans laisser de traces*, 1992

Scénario

- *Ce qu'il faut pour vivre*, 2008

CET OUVRAGE A ÉTÉ IMPRIMÉ EN OCTOBRE
2011 SUR LES PRESSES DES ATELIERS DE
L'IMPRIMERIE GAUVIN POUR LE COMPTE DE
LUX, ÉDITEUR À L'ENSEIGNE D'UN CHIEN D'OR
DE LÉGENDE DESSINÉ PAR ROBERT LAPALME

Il a été composé avec LATEX, logiciel libre,
par Sébastien MENGIN – www.edilibre.net

La révision du texte et la correction
des épreuves ont été réalisées
par Monique MOISAN et Marie-Eve LAMY

Lux Éditeur
c.p. 129, succ. de Lorimier
Montréal, Qc H2H 1V0

Diffusion et distribution
Au Canada : Flammarion

Imprimé au Québec
sur papier recyclé 100 % postconsommation